やくやもしおの百人一首

久保田香里
坂口友佳子 画

くもん出版

やくやもしおの百人一首

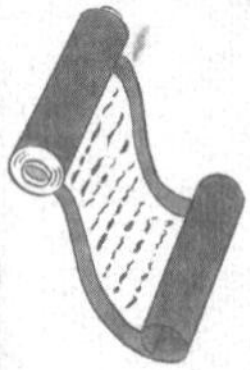

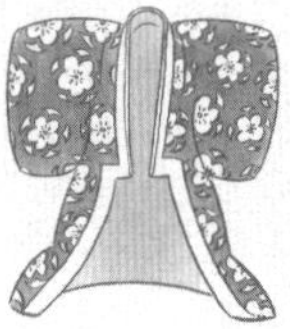

目次

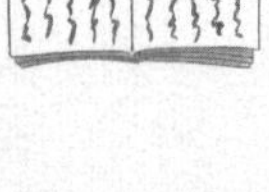

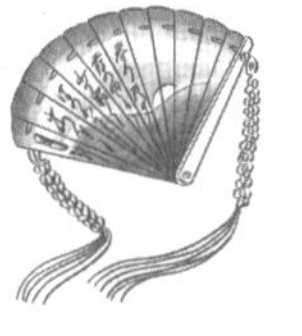

「やくやもしおの百人一首」の舞台《ぶたい》

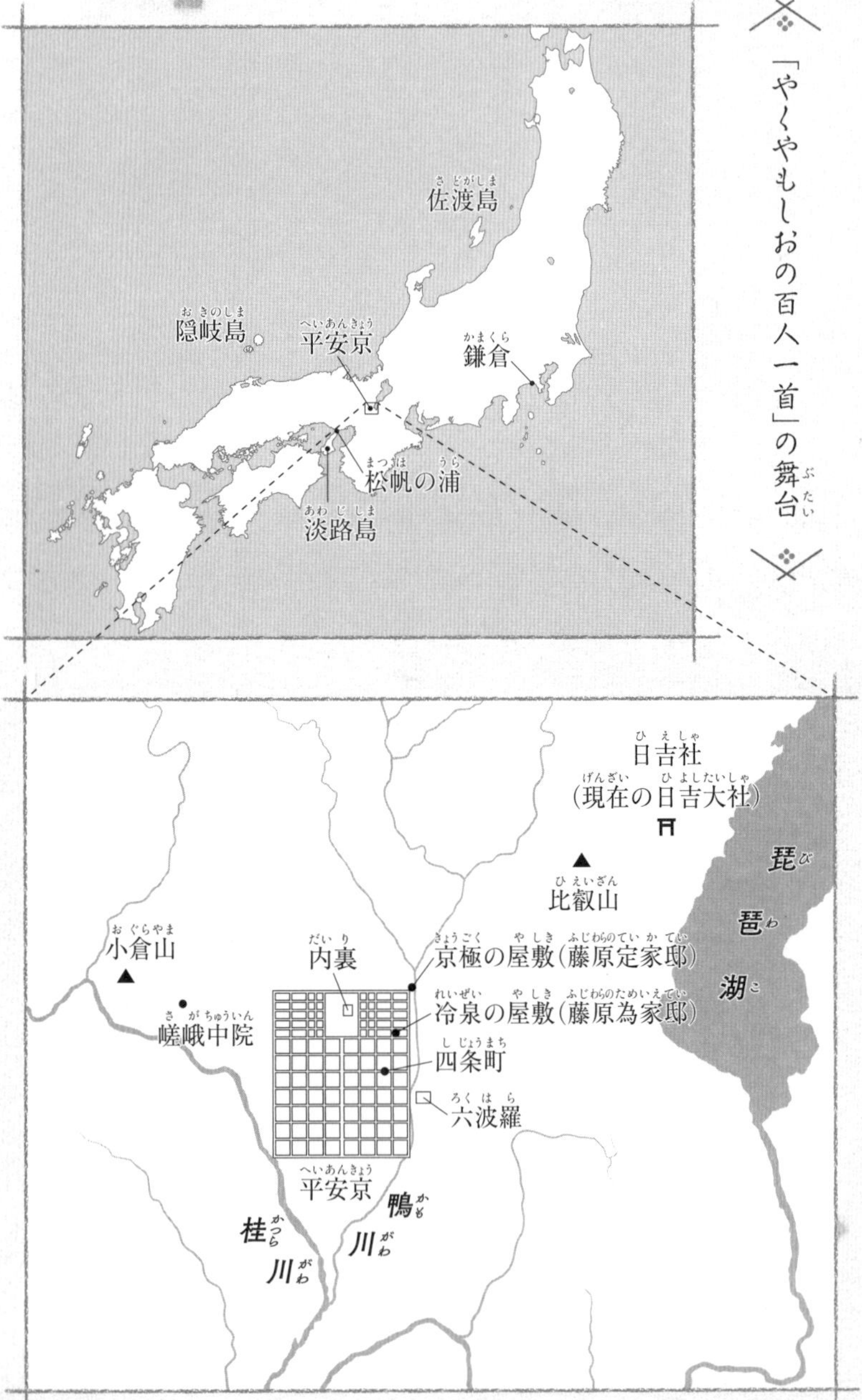

一　飛んださきは八百年前

風にあおられ、わたしは高く舞《ま》いあがった。

空をただよい飛んでいき、いつのまにか小さな神社の上にいた。

神社をおおう杉木立《すぎこだち》が朝焼けに染《そ》まっていて、古びた社《やしろ》の前で手を合わせている人も、朝日をあびてかがやいている。

凪《なぎ》さんだ。

そう気づいたとたん、わたしは凪さんのもとに、はらはらと落ちていった。

凪さんはしっかり手を合わせ、目をとじている。小さくつぶやくねがいごとがきこえてくる。

「こぬ人をまつほの浦《うら》の夕なぎに――のふだが、見つかりますように」

百人一首かるたの箱から、一枚《まい》だけ消えてしまった絵ふだのことだ。

二百枚そろっていたはずのかるたが、一枚なくなっている。きのう、それを知った凪《なぎ》さんは、青くなっていた。村の資料館《しりょうかん》に保管《ほかん》されている、古くてめずらしいかるただったから。

古い百人一首かるたは、歌人の絵に短歌の上《かみ》の句《く》が書かれたふだと、下《しも》の句の文字だけのふだ、二枚で一組になっている。

絵と文字が、対《つい》になってそろってこそ。

それなのに、「こぬ人を」の絵ふだは、どこかいきたいところがあるといって、ひとりでいなくなってしまった。

わたしをおきざりにして。

おきざりにされたわたしは、「こぬ人をまつほの浦の夕なぎに」の、下の句のふだ。

かどがちょっとすれてるけど、金色のふちどりのあるじょうぶな紙に、くずした筆文字で、「やくやもしほのみもこかれつつ」と書かれている。

二枚合わせると、百人一首の九十七番目、藤原定家《ふじわらのていか》の歌になる。

凪《なぎ》さんは、わたしたち古い百人一首かるたを、たすけてくれた恩人《おんじん》だ。その凪さんを「こぬ人を」のふだはこまらせている。

だから対《つい》のわたしが、凪さんのために「こぬ人を」のふだをつれもどさなくちゃいけない。

そう決心して、強くねがったら、ここに来ていた。

落ちてきたわたしを、凪さんはとっさに手でうけた。

「やくやもしおのふだ？　どうしてこのふだが、ここにあるの？」

目をまるくし、そしてつぶやいた。

「かたわれがいなくて、あなたもこまってるよね。どこ行っちゃったんだろうね、あなたの上《かみ》の句《く》。——定家《ていか》のふだが、どうか見つかりますように」

また社《やしろ》に手を合わせる。

凪さんとわたしのねがいはおなじだ。もう一度、飛ばなくちゃ。「こぬ人を」のいるところまで。ふたりでねがえば、きっとかなう。

わたしは、凪さんの手からのびあがるようにして、祈《いの》った。

（神さま、わたしを「こぬ人を」のもとにつれていってください）

凪《なぎ》さんはわたしを目の高さにあげ、上《かみ》の句《く》とあわせてうたうように読みあげた。

　こぬ人を　まつほの浦《うら》の　夕なぎに　やくやもしほ《(お)》の　身もこがれつつ

するとわたしは、宙《ちゅう》に舞《ま》った。まるで、神さまが指でつまんで、ひっぱりだしたみたいに。

凪さんの手から飛びだし、杉《すぎ》木《こ》立《だち》をつきぬけ、空にほうりだされる。

風に乗り、高く飛んで、そして――。

落ちてる。

さっきのような、ふわりとした落ちかたじゃない。重さのあるものが、一直線に落ちるような。

みるみる地面が近づいて、わたしは土の上にころがった。

（いたた……）

そうだ、かど。かどはつぶれてない？

対《つい》のふだが行方不明《ゆくえふめい》で、その上、かどがつぶれたかるたなんて。

あわててたしかめて、あれっと思う。

かどがない。つぶれてなくなったんじゃなくて、とがった紙のかどがない。まるくて、なにかがひっかかる。

（いたっ！）

思いっきりひっぱったら、いたかった。

これは髪《かみ》の毛《け》だ。まっ黒でずいぶん長いみたい。

髪がからまった指を、わたしはじっと見た。

（え？　指？　なんで？）

あれ、あれ？　と首をひねっていたら、頭の上から声がした。

「いま、天から落ちて……？」

空を見て、わたしを見て、口をぱくぱくさせている人がいた。

目がほそくて、あごもほそい男の子で、かわったかっこうをしている。

丸首の着物はゆったり大きめで、袴《はかま》の足首をきゅっとむすび、頭に縦長《たてなが》の帽子《ぼうし》をのせている。顔つきや背丈《せたけ》は、中学生くらいかな。

凪《なぎ》さんや資料館《しりょうかん》に来る人たちとはずいぶんちがう服装《ふくそう》だけど、なんだか見なれている気もする。

わたしはまわりを見た。

いったいどこに落ちたんだろう。神さまが「こぬ人を」のところに、つれてきてくれたはずなんだけど。

わたしがいるのは、林のなかの道だった。むこうに神社らしき建物がある。凪さんがいた村の小さな神社とはちがって、大きくてあたらしくて立派《りっぱ》だ。そこにむかう人で、道は混雑《こんざつ》している。

みんな一風かわったかっこうだ。袴《はかま》をひざのしたまでたくしあげている人。大きな笠《かさ》をかぶっているのは、女の人みたい。はだしの人がいるかと思うと、刀をもっている人もいる。

地面には土ぼこりが舞《ま》っている。道を行く人も、どことなくほこりっぽい。うすっぺらい着物が、風にはためく。

男の子は、まだ目の前にいた。

「いや、まさか。見まちがいにちがいない」

ひとりごとをいって、気をとりなおすように、頭をふっている。

この子は、ほかの人たちよりきれいな服装《ふくそう》だ。着物はあざやかな黄緑色の、清潔《せいけつ》なものだし、黒い帽子《ぼうし》のようなのもあたらしくてつやつやだ。

ああ、そうだと思った。これは平安《へいあん》時代の衣装《いしょう》だ。それで見なれた気がするんだ。百人一首の絵ふだにかいてある人のすがたは、こんなふう。平安時代の歌人の絵だから。男の人が着ているのは、直衣《のうし》とか狩衣《かりぎぬ》とかいうもので、黒い帽子は烏帽子《えぼし》といった。

じっと観察していたら、男の子が身をかがめた。

「立てぬのか。けがをしたのか？」

立つって、かるたのわたしが？　変なの。まるで、返事を期待するように、話しかけられている。

すると、胸《むね》のあたりがむずがゆくなって、おしだされるように口がひらいた。

「ここ、どこ？」

声になった。

「日吉社《ひえしゃ》へむかう道だ」

男の子がこたえた。通じている。きこえているんだ。

そのとき、男の子のうしろの牛車《ぎっしゃ》から声がかかった。

屋根がついた箱形《はこがた》の乗りもので、牛にひかれている。車輪は背丈《せたけ》ほどもあって、地面にいるわたしからは、とても高く、そびえて見えた。

「なにごとじゃ、為氏《ためうじ》」

牛車の正面にかけられたすだれがもちあげられ、おじいさんが顔をのぞかせた。頭のつるんとした細身のおじいさんだ。

「なんでもありません、おじいさま。すぐに車を動かします」

為氏とよびかけられた男の子は、わたしにむきなおる。

「動けるのなら、どいてくれぬか。牛車が進めぬ」

「動く……？」

わたしが、自分で？　かるたなのに……？

あらためて、髪《かみ》をつかんだ指を見た。指と手、うでもある。声が出る。話せる。相手も返事をまっている。

「……わたし、人に、なってる？」

「道をあけよといっているのだ」

為氏《ためうじ》が声を大きくする。牛車《ぎっしゃ》のおじいさんが「これ」と為氏をたしなめた。

「そなたとかわらぬ年ごろの女童《めのわらわ》ではないか。もそっと、やわらかく」

おじいさんは、ひろげた扇《おうぎ》を口もとにあて、わたしに問いかけた。

「乗るべき牛車を見失のうたかの。どちらの屋敷《やしき》の者か。そなた、名は」

わたしの名？　そんなことをきかれたのははじめてだ。

「……やくやもしおのみもこがれつつ」

口をついて出たのは、わたしに書いてある下《しも》の句《く》だ。のどからおしだす感じだったさっきよりも、なめらかに出てきた。

わたしにはこれしかない。けれど、これを名とはいわないよね。

不安になって、おじいさんを見る。ところが、その顔には笑《え》みがひろがっていた。

「ほう。歌でかえすとは、なかなかにみやびな。その歌は、わたしも気に入りである」

「気に入り、ですか」

ほっとして、ちょっとてれる。この歌を知ってる人は多い。なにしろ百人一首だも

の。気に入ってくれてるのは、素直《すなお》にうれしい。
おじいさんは笑顔《えがお》のままうなずいた。

「もちろんじゃ。わたしの歌だからの」

「おじいさんの、歌？」

きょとんとする。

すると、為氏《ためうじ》がおじいさんとのあいだにわって入った。

「礼儀《れいぎ》をわきまえよ。このかたは、帝《みかど》の歌の師《し》で、権中納言《ごんちゅうなごん》までのぼられたかただぞ。出家をされ、明静《みょうじょう》と名をかえられたが、もとの名は藤原定家《ふじわらのさだいえ》さま。定家卿《ていかきょう》といえばわかるだろう。世間ではそうよびならわされている」

せいいっぱい声をはっている。おじいさんを、守ろうとするみたいだ。

いわれたことはむずかしくて、ほとんど頭に入ってこなかった。

でも、最後のその名だけは、くっきり耳にのこる。

「ていかきょう……？」

声がはねあがった。

「ええっ、定家さん？」

このおじいさんが、定家《ていか》さん？

藤原《ふじわらの》定家――わたしたちの歌を、「こぬ人をまつほの浦《うら》の」の歌をつくった人。

その上、百人一首の百の短歌をえらんだ人でもある。つまり、わたしと「こぬ人を」だけでなく、かるたみんなの生みの親だ。

そんな人が、目の前にいる。生きて動いている。

（いったいどこに来たの、わたし）

二

いなくなった「こぬ人を」

百人一首は藤原定家《ふじわらのていか》が、百人の歌人の歌を、ひとり一首ずつえらんだもの。
それをもとにした百人一首かるたは、短歌の上《かみ》の句《く》を読みあげて、下《しも》の句のふだをとる遊び。

読むほうのふだには、歌とそれをつくった人の絵がかかれていて、ならべてとるほうのふだには、歌の下の句の文字だけがある。読みふだが絵ふだで、取りふだが字ふだというところが、ほかのかるたとちょっとちがう。

わたしの上の句のふだ、こぬ人をがいなくなったのは、三年前だ。

それは、わたしたち百人一首かるたが、凪《なぎ》さんにはじめてであった日でもある。

わたしたちは、それまでずっと、欠けることなくみんなそろって、佐藤《さとう》さんという家にいた。二百枚《まい》ぜんぶが、おなじ箱に入っていた。

その年、佐藤さん夫妻《ふさい》が、あいついで亡《な》くなった。ふたりに子どもはなく、家のかたづけは遠い親戚《しんせき》にまかされた。

佐藤さんの家は、村に古くからつづく由緒《ゆいしょ》ある家だった。蔵《くら》には、古い時代の道具やら古文書《こもんじょ》やらがたくさんあったので、親戚は、村の資料館《しりょうかん》に相談した。

資料館は、古いものの保管《ほかん》や記録、研究をしている。佐藤さんの家に、さっそく資料館の人がやってきた。その若い学芸員が凪《なぎ》さんだ。

凪さんは蔵のなかをしらべ、歴史的価値《れきしてきかち》のあるたくさんのものを、資料館にひきとった。

わたしたち百人一首は、そういうものとはべつに、夫妻の居間《いま》にいた。そのせいで、ほかのものといっしょに、すてられてしまうところだった。

そんなわたしたちに、凪さんが気づいた。庭に無造作《むぞうさ》につまれた木箱にはられた短《たん》冊《ざく》に、目をとめたのだ。「小倉《おぐら》百人一首」と書かれた筆の文字は、佐藤さんの妻《つま》、千《ち》代子《よこ》さんの字だ。

なかをたしかめた凪《なぎ》さんは、これは古い時代の貴重《きちょう》なものだといってくれた。二百枚《まい》の仲間は、おかげですくわれたのだった。

わたしたちは、資料館《しりょうかん》にひきとられることになった。

箱ごとはこばれ、保管室《ほかんしつ》にしまわれる。そのあいだずっと、こぬ人をは、そわそわしていた。

「この場所は、日吉神社《ひよしじんじゃ》のすぐとなりだ」

期待するように、そういった。

資料館は、村の古い神社、日吉神社の敷地《しきち》を分けてもらって建てたそうだ。神社の森は、資料館もかこんでいる。

こぬ人をはそれを、佐藤《さとう》さんからきいたという。

佐藤さん夫妻《ふさい》は、ふたりとも百人一首が好きだった。夫の信夫《のぶお》さんは、藤原定家《ふじわらのていか》を好み、その生涯《しょうがい》に関心をもっていた。人に話すときは、したしげに「定家《ていか》さん」とよんでいた。

だから、定家の絵すがたと、その歌が書いてある、こぬ人をのふだが、とくにお気に入りだった。

信夫《のぶお》さんによると、定家《ていか》の日記には、京都《きょうと》の近くにある日吉社《ひえしゃ》（現在《げんざい》の日吉大社《ひよしたいしゃ》）に出かけたことが、何度も出てくるそうだ。定家は日吉の神を熱心に信心していた。日吉社は全国各地にある日吉《ひよし》神社の総本宮《そうほんぐう》で、資料館《しりょうかん》のとなりの日吉神社もそのひとつだ。

「それをきいてから、神社に行く方法はないかと、思っていた」

こぬ人をは、そういうのだ。

「神社の森がかげを落とすここなら、日吉の神がきっと、ねがいをききとどけてくれる」

なんのねがい？　とたずねたけど、こたえてくれなくて、その夜、消えてしまったのだ。箱のなかから。

それから三年、わたしたちはずっと、資料館の保管室《ほかんしつ》にいた。ここはすずしくて、ほどよい湿《しめ》り気《け》がある、いいところだ。

表《おもて》の展示室《てんじしつ》に行くことはなく、棚《たな》のすみで、うつらうつらとねむったり起きたり、ほかの古いものたちと、おしゃべりをしたりしていた。

ときどき、こぬ人をがいないたよりなさを思いだしたけど、上《かみ》の句《く》を読んで下《しも》の句をとる、かるた遊びに使われなければ、わたしだけよばれなくて悲しい思いをすることもない。

しずかなくらしに、みんな満足していた。

ところが、きのうのことだ。

凪《なぎ》さんがやってきて、わたしたちの箱をあけた。

あかるい光がさしこむとともに、凪さんのはずんだ声がした。

「これですよ、館長。ほら、古い百人一首。ぜんぶそろってて、状態《じょうたい》もいいんです」

資料館《しりょうかん》の館長が、メガネをおしあげ、箱に顔を近づけた。

「佐藤《さとう》さんのお宅のかるたですね。たしか、明治《めいじ》時代のものでしたか」

「はっきりとはわからないんですけど、明治のはじめのころではないかと」

こたえながら、凪さんはいちばん上にあったわたしを手にとった。

「やくやもしおの——定家《ていか》のふだですね。取りふだの文字は筆で書かれてる。きっとひとそろいだけの特注品です。文字の下に一枚《まい》ずつ文様《もんよう》がえがかれているのも、美しい。読みふだの歌人絵も、もちろん手《て》描《が》き。上品でていねいな、美術品《びじゅつひん》といっていいかるたです」

凪《なぎ》さんはうっとりといって、声に熱をこめた。

「じつは、藤原定家《ふじわらのていか》が小倉《おぐら》百人一首をまとめたのは、一二三五年。もうちょっとで八百年になるんです。それで考えたんです。このかるたをメインに、百人一首やかるたのことをまとめた展覧会《てんらんかい》は、いかがでしょうか」

館長はなるほどときいている。

資料館《しりょうかん》のとなりには、村の公民館があって、館長はそちらの館長もかねている。というより、公民館のほうが主だ。そのため、資料館までなかなか手がまわらず、以前の資料館は、うす暗くて、ろくに見学者のいない、倉庫のようなところだった。

凪さんが来て、それがすっかりかわった。熱心にいろんな企画《きかく》を立て、展示《てんじ》を見やすくし、人があつまる工夫をした。おかげで来館者がふえ、資料館はしたしみやすい場所になった。

保管室《ほかんしつ》もきれいに整理された。しまわれたままでいた古いものも、ときどき入れかえて表に出してくれる。

ごたごたとつまれて、きゅうくつな思いをしていたのが、居心地《いごこち》よくなったと、古いものたちは、みんなよろこんでいた。

「ほかにも昭和《しょうわ》のかるたや、変《か》わり種《だね》の百人一首がありましたよね。時代ごとの百人一首かるたの歴史《れきし》をまとめてみます。定家《ていか》の時代のなにか、焼きもののかけらなんかを展示《てんじ》して。あと、短歌を募集《ぼしゅう》して、村民百人一首なんてどうでしょう。それから、大きなかるたをつくって、かるた大会をしたら、子どもたちが興味《きょうみ》をもってくれないでしょうか」

「いいと思いますよ。ぜひ企画《きかく》を出してください」

館長はにっこりうなずくと、保管室《ほかんしつ》を出ていった。

凪《なぎ》さんは、机《つくえ》の上にわたしをおき、絵のついた読みふだをならべはじめた。

「それにしても、古いものなのに、ぜんぶそろってて、こんなにきれいにのこってるなんてすごいよね」

ひとりごとなんだけど、わたしたちに話しかけるようだ。

「しまいこまれてたわけじゃなくて、使われていた感じがするところもいいなあ。かどがすれてて、それを補修《ほしゅう》したあともあって。だいじにされてたんだね」

ほめられて、くすぐったい気持ちがする。ふだたちみんなもそうみたいだ。音はしないけど、ざわめきが流れる。

凪《なぎ》さんは、古いものたちだれに対しても、ていねいだ。古くてぼろぼろでも、かけらでも、心をこめてあつかってくれる。

「小倉《おぐら》百人一首を、藤原定家《ふじわらのていか》がえらんだといわれているのは、定家の日記、明月記《めいげつき》にそれらしい記述《きじゅつ》があるから、だったよね。たのまれて京都嵯峨《きょうとさが》、小倉山のふもとの山荘《さんそう》の、障子《しょうじ》にはる色紙《しきし》としてえらんだ。それで小倉山荘色紙和歌《おぐらさんそうしきしわか》とよばれた」

それは、わたしも知っている。佐藤《さとう》さん夫妻《ふさい》が、わたしたちの前で、そんな話をしていたから。

わたしたちは、凪さんがいうように、長くたいせつにされてきた。とくに、信夫《のぶお》さんと千代子《ちよこ》さんの佐藤さん夫妻は、しまいこんだままでなく、外に出してかざったり、わたしたちで遊んだりしてくれた。

「それから百人一首とよばれるようになって、さらに近世以降《いこう》、さまざまな変わり種の百人一首がつくられたので、区別するため小倉百人一首といわれるようになった。うん、年表もつくらなくちゃ。百人一首かるたは、江戸《えど》時代にはじまったこととか、さかんになったのは明治《めいじ》時代だとかも入れて――あれ？」

凪さんの声がとぎれた。

読みふだがすべてならべられ、取りふだはふたつの山につまれている。箱は空《から》だ。

「定家《ていか》の『こぬ人を』がない。絵のほうが。見落としたかな。展示《てんじ》の中心にするつもりなんだけど」

ふだをはしから見返し、凪《なぎ》さんはあせった声になった。

「やっぱりない。そんなはずないのに。ひきとったときは、たしかにぜんぶそろってた。どこかに落としたのかな。なくしたなんてなったら、たいへんだ」

床《ゆか》を見わたし、机《つくえ》の下にもぐりこみ、棚《たな》のすきまをのぞきこむ。

ふだの山の上で、わたしはいたたまれなくなっていた。

(ごめんなさい、凪さん。こぬ人をはいないんです)

わたしの声は伝わらない。

凪さんは保《は》管室《かんしつ》じゅうをさがしまわった。それから館長をよびに行った。ふたりでさがしても見つからない。おそい時間になり、あした、もう一度さがしましょうといわれ、凪さんは肩《かた》を落として帰っていった。

わたしたちは棚にもどされ、照明が落とされた。

真夜中すぎ——。

まっ暗な保管室《ほかんしつ》のなかで、古いものたちが目をさます。動いたり、あるきまわったりはしない。ただ気配がむくりむくりと起きあがり、音にならないざわめきが、室内に満ちていく。

いつもなら、古いものたちはそれぞれに、昔の持ち主の思い出や、来《こ》し方《かた》をぽつぽつと語る。それに耳をかたむけたり、うとうとしたり、自分の思い出にひたったりする。

けれど今夜は、凪《なぎ》さんのことでもちきりだった。

「凪さん、おこまりでしたね。どうなるのでしょう」

まかれたままの掛《か》け軸《じく》がたずね、柱の前におかれた大きな振《ふ》り子《こ》時計がこたえる。

「資料《しりょう》を紛失《ふんしつ》したとなると、やめさせられるかもしれんな。ずっと前に、小判《こばん》をもちだして、古物商に売りはらった奴《やつ》がいてのう。すぐにクビになった」

紺《こん》に白の染《そ》め抜《ぬ》きがある、祭りのはっぴがわめく。

「そいつはたいへんだ。あの人がいなくなったら、また、だれもよりつかない、ほこりっぽいところになっちまう」

「それもこれも、あの者のせいである」

名主の蔵《くら》から来た古文書《こもんじょ》の束が、重々しくいうと、みんなの気配がいっせいにこちらにむいた。

百人一首のふだたちは、身をちぢめたけれど、そのみんなもざわざわして、わたしをせめる感じだ。たまらなくなって声をあげた。

「みんなも知ってるよね？　わたしはとめた。なのに、こぬ人をはきかずに行ってしまったんだよ」

百人一首の一番目、天智天皇《てんじてんのう》の「秋の田の」のふだが、とりなすようにいってくれた。

「そうであったな。みなでとめた。だがあの者は、かたくなに行くときかず」

ふだたちが、いっせいにため息をついた。

「こうなるとわかっていれば、是《ぜ》が非《ひ》でもとめたのだが」

「なぜ、出ていったのでしょう。せっかく、すてられずにすんだのに」

「なにやら、やりたいことがあるとかいっていたな」

「どこへ行ったの？　『やくやもしおの』はきいていないの？」

せまい箱のなかで、みんながくちぐちにいう。

どこへ行ったのか、なにをしたかったのか、わたしも知らない。

「そろそろ、夜明けですね。凪《なぎ》さんはねむれたでしょうか」

掛《か》け軸《じく》の言葉に、みんながはっと息をひそめた。

しんとしたなかで、わたしは声をあげた。

「わたし、こぬ人をつれもどしてくる。こぬ人をが、日吉神社《ひよしじんじゃ》におねがいしたんなら、わたしもおなじにやってみるよ」

わたしの下に重なっている九十八番目「みそぎぞ夏の」のふだが、心配してくれる。

「だいじょうぶかい？　どこに行ったのか、わからないのだろう？」

「こぬ人をのところに、つれていってくださいっていってたのむ。ぜったい、つれもどしてくる。凪さんをクビになんてさせない」

わたしをひとりにした上に、わたしたちを助けてくれた凪さんを、窮地《きゅうち》に立たせるなんて。

見つけたら、ひとこと文句《もんく》をいわないと。いやといってもひっぱってくる。

わたしは、けんめいに祈《いの》った。

（日吉《ひえ》の神さま、ねがいをかなえてください。こぬ人をに会わせて。どうか……！）

「みなも祈《いの》ろう。心を合わせよう」

「秋の田の」のふだがいってくれて、かるただけでなく、保管室《ほかんしつ》のみんなが祈りをあげる。

「やくやもしおのを、こぬ人をのもとへ」

そうして気がつくと、神社にいた。朝焼けの空の下、凪《なぎ》さんが手を合わせ、

「こぬ人をまつほの浦《うら》の夕なぎに――のふだが、見つかりますように」

と、祈っていた。

三

平安《へいあん》時代の女の子

凪《なぎ》さんのねがいも重なって、わたしは空を飛んだ。

きっと、定家《ていか》さんが信じた京都《きょうと》の近くの日吉社《ひえしゃ》と、村の日吉《ひよし》神社がつながったんだ。

時間も場所もこえ、生きている定家さんがいるところへやってきたらしい。

どうりで、牛車《ぎっしゃ》やら烏帽子《えぼし》やら、まわりが平安《へいあん》時代なわけだ。百人一首といえば、平安時代だよね。

こぬ人をが、それほど定家さんに会いたがっていたとは、知らなかったけど、わたしたちをつくってくれた人と思えば、ひと目会ってみたいし、たいせつにしなくてはいけない人だとも思う。

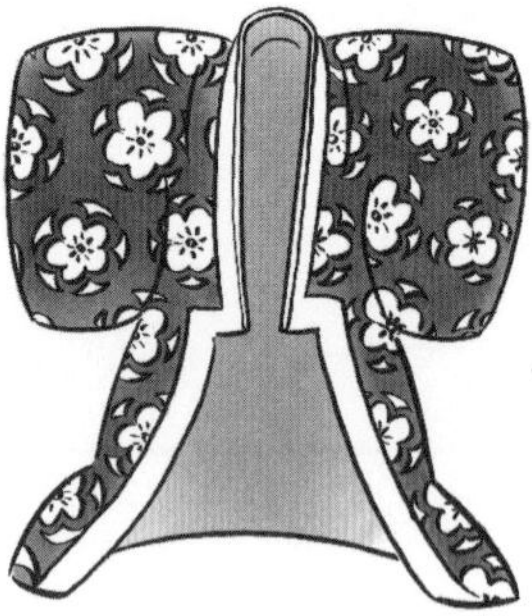

なつかしくて、したわしい気もする。

こぬ人をは、この近くにいるはず。はやくさがさなくちゃ。

道とか草むらに、落ちてたらどうしよう。こんなに人通りが多くては、ふまれてしまう。

（こぬ人を、どこ？）

地面をさぐるわたしの手を、為氏《ためうじ》がつかんだ。

「とにかく立て。ここにいては、道行く人のめいわくになる」

ひっぱりあげられる。つまんでもちあげられたんじゃなくて、手をとられて、立ちあがる。

そうだった。わたし、人になってるんだ。

見下ろすと、まっ赤な衣《ころも》が目に飛びこんできた。

足もとは、濃《こ》い紅色《べにいろ》の袴《はかま》。その上に、赤でそろえた衣を何枚《なんまい》も着ている。赤やピンクの、すこしずつ色のちがうのを重ねて、白もまざっているのが、すごくきれい。

丈《たけ》が長くて、地面にひきずっている。ふりむけば、長い黒髪《くろかみ》が肩《かた》から背中《せなか》にかかっていた。

「ほら、あぶない」

人とぶつかりそうになり、為氏《ためうじ》がわたしの背《せ》をおした。わたしは、わけがわからないまま、足をふみだした。

一歩、二歩と進んで、すそをふんづけた。

「わっ」

ころびそうになって、とっさに手近なものにつかまる。あたたかくて、湿《しめ》っぽい。

牛がぶるんと鼻息をはいた。

牛の鼻先から、そっと手をはなし、距離《きょり》をとる。

そのまま、ひとりで立っている。足があって、歩ける。

うでをあげ、足をあげ、自分をくるくると見まわす。そんなわたしを、為氏はいぶかしげに見ていた。

いけない。できるだけ、人らしくしなくては。わたしは、衣《ころも》をのばしてあらたまった。

「ご親切に、ありがとう。飛んできたものだから、わたしが、えっと、どうなってるか、わかってなくて」

つっかえながらいう。声を出すのに、まだなれない。

「飛んで?」

為氏《ためうじ》ははたと、空に目をやった。そして、まじまじとわたしを見る。その目がだんだんと、うたがうようすになっていく。わたしはあわてて、つけたした。

「飛んで、というか、日吉《ひえ》の神さまが――」

言葉をさがし、首をひねっているうちに、気づいた。為氏のひとみにわたしがうつっている。

自分がいったい、どんなようすをしているのか、やっぱり気になる。

(定家《ていか》さんは、わたしがこの為氏って子と、おなじ年ごろっていってた)

為氏のひとみをのぞきこむ。

顔がまっすぐうつっている。背丈《せたけ》はおなじくらいだ。

まんなかで分けた黒髪《くろかみ》に、大きくひらいた目、ほっぺたがまるくて子どもっぽいけど、小さくととのった鼻といい、ふっくらした口もといい、けっこうかわいい女の子だ。

ちょっとうれしくなって、笑《え》みが出た。すると為氏は、ばつがわるそうに目をそらした。

「だいじなければよいのだ。では、車を進ませてもらう」

そういって、牛車《ぎっしゃ》を動かすよう命じた。

牛車のすだれはあがったままで、定家《ていか》さんはまだこちらを見ている。

「まって、まって」

わたしは、あわてて為氏《ためうじ》をよびとめた。

こぬ人をは、この近くにいるはず。考えたら、こぬ人をがいなくなってから三年もたつのに、いまもまだ道に落ちてるわけがない。だれかにひろわれてるんだ。だれかにひろわれてるなら、それは定家さんに決まっている。こぬ人をは、定家さんに会いに来たんだ。

「こぬ人をを知ら……、ええと、知りませんか？」

為氏は眉《まゆ》をひそめた。

「知らないかとは？　こぬ人をとは、おじいさまの歌だろう」

「そう、それ、です。それで、わたしは、そのつづきの……」

「やくやもしおのと、さきほどうたっていたな」

為氏《ためうじ》はなにか思いつき、けわしい顔になって、わたしの言葉をさえぎった。

「さては、おじいさまに入門したくて、こんなことをするのだな。だめだ。しかるべきかたの紹介《しょうかい》でないかぎり、弟子《でし》はとらない。ちかごろは、名も知らぬ者が、歌の教えをこいたいとおしかけてきて、こまっている」

「ちがう、ちがう」

わたしは負けじと声をはりあげた。人っぽくしなくちゃとか、ていねいにとか、考えていられない。

「わたしは、百人一首のこぬ人をのふだを、さがしてるんだ」

「ほう。おもしろいことを申すのう」

そういったのは定家《ていか》さんだった。目で為氏をおさえ、とじた扇《おうぎ》でわたしをまねく。

「これ、そなた――やくやもしおの――そうじゃ、もしおと、よぼうかの」

「はい」

名だ。わたしだけの。うれしくて返事がはずんだ。

定家さんは、牛車《ぎっしゃ》から身を乗りだしたずねた。

「百人一首とは、聞《き》き捨《ず》てならぬ。それはいったいなんだね。わたしの知らぬ、歌《うた》合《あわせ》があるのかな」

「えっ？」

思いがけない言葉に、まごついた。

藤原定家《ふじわらのていか》から、百人一首を問われるとは。つくった本人、だよね？

「え、だって。あの、かるたです。読みふだと取りふだと、百枚《まい》ずつあって。それぞれ歌が、百人の人の歌があつまってて、ひとりひとつの歌で……」

「百人ひとりひとつの歌であると……ほほう」

定家さんは、なにやら真剣《しんけん》な顔で考えこんだ。扇《おうぎ》をとじたりひろげたりする。

「そういえば、隠岐《おき》の院《いん》がこのほど編《あ》まれた歌集も、百人の歌人でなっておったな。だが、歌は三首ずつえらばれていた。ひとり一首のみとは、すくないように思うが……。いや、よりよきものをえらぶことになり、かえってよいやも知れぬ……」

ぶつぶつといっている。

「あの、定家さん？」

ようすをうかがうと、定家さんは扇でぱしりとひざをたたいた。

「よい思いつきをあたえてくれた。感謝《かんしゃ》しようぞ。——為氏《ためうじ》、屋敷《やしき》にもどる」

「はい、おじいさま」

すだれがおろされた。こんどこそ牛車《ぎっしゃ》が動きだす。

目の前を行きすぎる牛車から、定家《ていか》さんの声がした。うたっている。道行く人もふりかえる、はりのある声だ。

こぬ人を　まつほの浦《うら》の　夕なぎに　やくやもしほ《（お）》の　身もこがれつつ

よどみなくうたいあげられて、胸《むね》がふるえた。泣きたい気持ちがする。

わたしの歌。わたしたちの歌。

こぬ人をさがすのは、凪《なぎ》さんのためだと、みんなにもいった。こぬ人をがいなくても、わたしはへいき。かたほうだけになっても、どうってことない。そう思ってた。

ほんとうはちがってたみたいだ。こぬ人をに会いたい。

ついていかなくちゃ。こぬ人をはきっと、定家さんの近くにいる。

わたしは、力いっぱい声を出した。

「おねがいします、定家さん。わたしを弟子《でし》にしてください」

牛車《ぎっしゃ》にかけよる。衣《ころも》が足にからみついて、ころびそうになる。牛車の横を歩いている為氏《ためうじ》が、こまった顔をする。

「おねがい、わたしをつれていって。こぬ人ををさがしたいんだ」

「弟子《でし》はとらぬといっただろう。おじいさまはご高齢《こうれい》だ。これ以上、負担《ふたん》をおかけしたくない」

やっぱり、為氏は定家《ていか》さんを守っている。でも、ひきさがるわけにいかない。手がかりはこれだけなんだ。

「神さまが、あたえてくれた機会なんだよ」

為氏はとまどい、ちらりと空を見る。

「定家さん！」

もう一度よぶと、牛車の窓《まど》があいた。定家さんが顔をのぞかせる。あきれたように、でも笑っている。

「よいだろう。ついてきなさい、もしお」

「やった！」

わたしはすそをたくしあげ、牛車を追いかけた。

四

梅の花さく屋敷《やしき》

牛車《ぎっしゃ》は、京にある定家《ていか》さんの屋敷《やしき》にむかった。

京――凪《なぎ》さんがいる時代だと京都《きょうと》だ。さっきいた日吉社《ひえしゃ》は、京の北東、比叡山《ひえいざん》にあって、京の鬼門《きもん》を守っているという。

定家さんは日吉の神を信心しているときいていたとおり、若いころから何度もお参りに来ているそうだ。

教えてくれたのは、為氏《ためうじ》だ。

「ここ何年かは、出かけていなかった。以前は昼夜、何日も日吉社にこもり、祈《いの》りをささげたものだが、いまはもう高齢《こうれい》のおじいさまには負担《ふたん》が大きい」

定家《ていか》さんは七十四歳《さい》。この時代では、長生きのほうだ。病気がちでもあり、まわりの人たちは心配している。

「おじいさまが、どうしてもとおっしゃるので、いそがしい父にかわり、今回は、わたしがお供《とも》することになった。おこもりも、一日だけにしていただいた。屋敷《やしき》まで無事におじいさまをおつれするのが、わたしのつとめだ」

為氏《ためうじ》は、きまじめにいう。

わたしも、為氏やおつきの人たちといっしょに、牛車《ぎっしゃ》のわきを歩いている。着なれない衣《ころも》だし、人のすがただし、歩いたことないし。足がいたくなってきた。

定家さんは、為氏にもわたしにも、いっしょに牛車に乗るようにいってくれたのに、為氏は、なりたての弟子《でし》が師《し》の牛車に乗るものではないと、ゆずらない。

歩きながら、いろいろ教えてくれるのはいいんだけど。

けっこうな山道をくだる。山道がおわってからも、半日も歩きつづけた。

川をわたり、京極《きょうごく》にある定家さんの屋敷についたころには、とっぷり日が暮《く》れていた。歩いてきた道をふりかえると、紺色《こんいろ》になった空に、月がのぼるところだった。

長い塀《へい》にひらいた、大きな門をくぐる。このお屋敷のどこかに、こぬ人をがいるにちがいない。早くさがさなくちゃ。

そう思ったけど、つかれきったわたしは、用意された寝床《ねどこ》にたおれこんで、ぱたりとねむったのだった。

翌日《よくじつ》、おなかがすいて目がさめた。とっくに日が高くなっているようで、あかるい光がさしている。

ついたてのむこうに、のそのそ出ていくと、食事の用意ができていた。召使《めしつか》いがあったかいお吸《す》いものをもってきてくれる。わかめがちょっと入っている。それに、やわらかめのごはんと、すっぱい大根のつけもの。お膳《ぜん》にあるのはそれだけ。

大きなお屋敷《やしき》のわりに質素《しっそ》だけど、わたしにとって、はじめてのごはんだ。

おいしい。ぺろりとたいらげ、立ちあがる。

すだれをよけて外に出ると、そこは建物の外側をめぐる縁側《えんがわ》みたいな通路だった。庭に面して、ずっとつづいている。

きのうは暗くなっていたこともあり、大きな家だなと思っただけだったけど、あかるくなってみると、ほんとうに広い。

松に桜《さくら》に柳《やなぎ》、いろんな木が植えてある庭を見て、縁側《えんがわ》のかどをまがる。また庭がある。そのむこうにある建物と、廊下《ろうか》でつながっている。

こぬ人をは、どこにいるんだろう。

近づいたらなんとなくわかるんじゃないんだろうかと、期待してみるけど、そんな気配はない。

縁側と室内のくぎりに、すだれがかけられている。のぞいてみると、がらんとした板敷《いたじ》きの広い部屋だ。こぬ人をが落ちていたりはしない。

「こぬ人をー」

よびながら歩いていると、為氏《ためうじ》と出くわした。わたしの顔を見るなり、足早に近づいてきた。

「しずかにしないか。おじいさまは、まだ休まれている」

「あ、ごめんなさい」

このさきは、定家《ていか》さんの寝所《しんじょ》だからと、ひきかえすことになった。

すたすたと歩く為氏についていく。長いすそにつまずく。おっとっとと体勢《たいせい》を立てなおす。為氏は見て見ぬふりで、庭に目をやった。

　梅の花がさいている。満開だ。さむいけれど日差しがあかるい。一気にさいたのか、枝《えだ》全体がかがやいて見える。

「きれいだね」

　わたしがいうと、為氏《ためうじ》はうなずいた。

「庭はどこも、おじいさまが丹精《たんせい》されている。いろいろな庭木を植えるのが、お好きなのだ。おじいさまはほかにも家をもっておられるが、ここがつね日ごろお住まいになっている京極《きょうごく》の屋敷《やしき》だ」

　もとはべつの場所にある屋敷にいたのだが、そこは息子——為氏の父にゆずり、十年くらい前にこの屋敷を建てたという。

　そのころは、歌の仲間と歌の会をひらいたり、たくさんの弟子《でし》が出入りしたりした。

　しかし、いまは歌の会をひらくことはなくなり、広い家はがらんとしている。

　為氏の家は父の屋敷だが、歌を学ぶために、しばらく前から、こちらに来て寝起《ねお》きしているという。

「じゃあ、おなじ弟子だね」

　はしゃいだわたしに、為氏はおなじにするなといいたげだ。

「正式な弟子《でし》になるのは、名簿《みょうぶ》を出してからだ」

「みょうぶ？」

「実名を書いた誓約書《せいやくしょ》だ。そなた、ほんとうの名をいっていないだろう」

「いや、ほんとうにやくやもしおだし。もしおじゃ、だめ？」

為氏《ためうじ》は足をとめた。

「おじいさまが、よいとおっしゃるからそうよぶ。気に入らない来客には、顔も出さないおじいさまが、めずらしいことだ。弟子になりたいというが、歌を詠《よ》んだことはあるのか」

「歌なら、ほら、こぬ人を――」

「それはおじいさまの歌だ」

「そうだねえ、百人一首の歌だものねえ」

のんきにいうと、為氏が眉《まゆ》をよせた。

「きのうもいっていたが、百人一首とはなんだ」

「定家《ていか》さんがつくった百人一首だよ」

「おじいさまは、そのようなもの、手がけておらぬ」

きっぱりいわれて、わたしは首をかしげた。そういえば、定家《ていか》さんもわからないみたいだった。

「おかしいな。百人一首、有名だよ。だれでも知ってるよ？　藤原《ふじわらの》定家が小倉山荘《おぐらさんそう》で、すぐれた歌をひとり一首、百人分えらんだんだよ」

佐藤夫妻《さとうふさい》の話では、定家はうるさい京をはなれ、人里はなれた質素《しっそ》な山荘で、心を落ちつけ歌をえらんだ。えらばれたのは、おもに平安《へいあん》時代の四百年間の、有名な歌人がつくった歌。

為氏《ためうじ》も首をかしげた。

「小倉山のふもと、嵯峨《さが》に別邸《べってい》はあるが、質素ではないぞ。それに、たった百人の、それも一首しかえらばぬ歌集など、きいたことがない」

「定家さんといえば百人一首でしょ。知らない？　弟子《でし》なのに？」

おかしいなあと首をひねる。

為氏はここぞとばかりに教えてくれる。

「定家卿《きょう》といえば新古今和歌集《しんこきんわかしゅう》ではないか。おじいさまは選者のひとりだった。あれには、千九百以上の歌がえらばれている。それに、つい最近も、新勅撰《しんちょくせん》和歌集の選者をされた。どちらも私的《してき》な文集ではなく、上皇《じょうこう》（天皇《てんのう》が位をゆずったのちの呼《よ》び名《な》）や帝《みかど》より命じられて、つくりあげた歌集だ。栄えある選者に二回もえらばれたのだ。並《なみ》の歌人にはできぬこと――」

「あ、まって。そうだよ」

為氏《ためうじ》がむずかしいことをしゃべっているあいだに、思いついた。定家《ていか》さんはいま生きている。そして為氏は百人一首を知らない。だったら、これからつくるのでは？

「ごめん。まだできてないんだ。きっとそうだね」

ごめんごめんとあやまると、為氏はいきおいをそがれ、肩《かた》をすくめた。

「それで、もしおどののがさがしているのは、どのようなものなのだ。そもそも、ものなのか、人なのか」

こぬ人をのふだだよ、といいかけて、はたと思う。立っている自分の足もとを見る。

わたしが人になってるんだから、こぬ人をも、人のすがたをしているのかも。

「ふだじゃなくて、人かも……？」

そうだ。そうでなければ、箱を飛びだしていったかいがない。なにか、やりたいことをするために、人になってるはず。

「このお屋敷《やしき》に、いると思うんだ」

ああ、でもどんな顔なのかわからない。年も、男なのか女なのかも。

ふだにえがかれている絵に、似《に》てるかどうかもわからない。なにしろわたしが、中学生くらいの女の子なんだから。

すがたはわからないけど、こぬ人をは定家《ていか》さんの身近にいるはずで……。

「ほかにだれか、それらしい人は？　弟子《でし》はいない？」

「いまは、ほかに弟子はいない」

この屋敷にいるのは、定家さんのほかに、定家さんの妻《つま》とふたりの娘《むすめ》だという。三人とも尼《あま》さまで、定家さんが寝起《ねお》きしている場所の、さらにむこうの建物で暮《く》らしている。

「奥《おく》には仏堂《ぶつどう》もある。しずかに修行《しゅぎょう》をされているのだから、さまたげにならないように」

為氏《ためうじ》が釘《くぎ》をさした。おなじ屋敷にいても、わざわざ会いに行かなければ、出会うことはない。貴族《きぞく》の屋敷とは、それくらい広いものらしい。

「わかった。家族や、前からよく知ってる人はちがうと思う。わたしみたいに、急にあらわれた人は、いないかな」

「もしおどののようなことが、そうそう起こってはたまらない。ああ……召使《めしつか》いなら、ときどき入れかわる」

為氏《ためうじ》にいわれて、わたしはまわりを見た。食事を用意してくれたり、庭のそうじをしてたり、さっきも見かけたよね。

「それかも。ちょっと見てくる」

くるりときびすをかえす。

「まて。弟子《でし》ならやるべきことが――」

すそをつまんで走ると、為氏の声はあっというまにきこえなくなった。


さっきの梅のさいている庭までもどってきて、わたしはため息をついた。

こぬ人をは、どこにもいない。

ここで働いているのは、定家《ていか》さんや家族のお世話をしている女房《にょうぼう》とよばれる数人の女の人と、家のなかや外の仕事をする十人くらいの召使いだ。どの人もぴんとこない。

女房《にょうぼう》のなかでも、定家《ていか》さんがいちばん気に入っているという人に、しつこくきいたら、こわがられてしまった。

こぬ人をのふだは、定家さんに会いに来たんじゃないのかな。これからどうしようか。さくっと見つけて、さっさと凪《なぎ》さんのところに帰るつもりだったのに。

縁側《えんがわ》にすわって、足を投げだす。

すると、庭から定家さんの声がした。

人はいさ　心も知らず　ふるさとは　花ぞ昔の　香《か》ににほひ《（おい）》ける

定家さんは梅の枝《えだ》を手に、庭をそぞろ歩いていた。わたしはぴょんと飛びおりていって、声をかけた。

「その歌、知ってます。紀貫之《きのつらゆき》ですよね」

百人一首の三十五番目の歌だ。和歌で花といえば、桜《さくら》の花のことが多いから、「花ぞ昔の」のふだは、おりにふれ「わたしの花は、香《かお》りたかい梅の花なのだよ」といっていた。

歌の意味は、あなたはさあどうでしょう。お気持ちもわかりませんが、ふるさとの奈良《なら》では梅の花が昔のままにさきにおっています。

梅のさく庭にぴったりの歌だ。

「ほう、紀貫之《きのつらゆき》を知るとはなかなか。歌を学びたいというのも、まんざら方便でもないのかな」

為氏《ためうじ》は、つかれて寝《ね》ているといっていたけど、定家《ていか》さんはしゃきりとしていた。

さっきの女房《にょうぼう》がそばにいて、枝《えだ》をうけとる。

「起きてだいじょうぶですか？」

「そなたが走りまわる音で、目がさめたのだよ。女房たちをこわがらせるでないぞ」

「ごめんなさい」

「そなたは、こぬ人をまっておるのではなくて、さがしまわっておるのだな」

そういうと、定家さんは梅の枝を見上げ、うたった。

こぬ人を　まつほの浦《うら》の　夕なぎに　やくやもしほ（お）の　身もこがれつつ

わたしはじっときいった。

まてども来ない人をまって、あの松帆《まつほ》の浦《うら》の夕なぎに焼く藻塩《もしお》ではありませんが、わたしは身も心もこがれています。

だれかを思う恋《こい》の歌だ。佐藤夫妻《さとうふさい》がよくいっていたのを思いだす。

松帆の浦とは、兵庫県《ひょうごけん》の淡路島《あわじしま》にある地名だ。海辺で塩をつくっていたんだろう。

昔ながらの塩づくりでは、海水をふくませた海藻《かいそう》を焼いて塩をつくる。藻塩は、その塩のこと。

その地を見てみたいねって、佐藤さんはふたりで旅行に出かけた。もちろん、かるたのわたしたちは留守番《るすばん》だったけど、帰ったあとに楽しそうに話してくれた。あのとき、こぬ人をのふだは、熱心に話をきいていた。

（あ、もしかして、そこ？）

自分の歌の舞台《ぶたい》、松帆の浦に行ってみたかった？

定家《ていか》さんは、空を見上げて、なつかしそうに思いだしていた。

「この歌は内裏《だいり》でおこなわれた歌合《うたあわせ》のおりに、詠《よ》んだ歌だ。新勅撰集《しんちょくせんしゅう》にも入れた」

「歌合？」

「うむ。帝《みかど》の御前《ごぜん》で、歌を披露《ひろう》した。左右にわかれ、組になった歌の優劣《ゆうれつ》を競うのだ。建保《けんぽう》のころだから、もう二十年ほどになるか」

「へえ。そこでほめられたんだ。すごいですね」

内裏《だいり》というと、天皇《てんのう》がいるところだ。そのときのこと、見てみたかったな。

なるほどそこも、こぬ人をがいるかもしれない場所の候補《こうほ》だ。

「松帆《まつほ》の浦《うら》と、内裏……。うん、行ってみよう」

「松帆の浦に行くというか」

「はい。どうやって行けばいいですか」

「おもしろいことをいうのう。淡路《あわじ》の島であるから、海に出ねばな。川をずっとくだっていけばよいのではないか」

定家《ていか》さんは冗談《じょうだん》だと思って笑っている。

たぶん遠いんだろうな。でも、ほかに手がかりもない。

せっかく人のすがたになったのだから、できることはなんでもしなくちゃ。川をくだる船に乗せてもらえば、なんとかなるかも。

「わかりました。ちょっと、行ってきます」

「ほう。ちょっとか。気軽だのう」

わたしは笑いかえし、そのまま屋敷《やしき》を出た。


道を歩いていくと、わりとすぐに川があった。流れに乗ってくだる船がある。追いかけるように岸を行くと、にぎやかな船着き場に出た。

たくさんの人がいて、荷をのせた船が行きかっている。

ちょうど、人を乗せて岸をはなれようとしている船があったので、いそいで乗ろうとすると、船頭が手のひらを上にむけて、無愛想《ぶあいそう》につきだしてきた。

お金がないと乗れないのだ。

あたりまえだね。わたしはしゅんとして、岸にもどった。

そでや胸《むな》もとを、ぱたぱたたたいてさがしてみるけど、お金なんてもってない。そこまで用意しておいてほしかったよ、神さま。

しばらく船をながめていたけれど、ないものはしかたない。川ぞいに、歩いていくしかない。

歩けるんだからだいじょうぶ。かるたのままだったら、どこにも行けなかった。

そんなことを考えていたら、男の人が声をかけてきた。

「川をくだる船をおさがしで？」

「そうだけど……」

相手は人がよさそうに、にっこりした。

「銭《ぜに》がなければ、かわりのもので、お乗せしますよ」

そういって、自分の船を指さす。さっきと似《に》たようなほそい船だ。船にいる船頭も、この人も、さっきの船の無愛想《ぶあいそう》な人とちがい、にこにこしているので警戒《けいかい》をゆるめる。

「かわりのもの？」

「布《ぬの》でも米でも、なんでも」

そうか。お金のかわりに、布とかでいいんだ。たくさん着ている衣《ころも》を、一枚《まい》ぬげばいい。歩いたせいで、ちょっと暑いと思ってた。

「じゃあ、この衣で……」

といったとき、人混《ひとご》みのむこうから、為氏《ためうじ》がかけてくるのが見えた。

「乗ってはだめだ」

さけんでいる。だいじょうぶだからと、いいに行こうとすると、男がわたしのうでを乱暴《らんぼう》にひっぱった。

「わっ」

よろける。つづいて、つきとばされた。船のなかにたおれこむ。

男は船に飛びのり、すぐさま船頭が船を出す。

船がゆれて、起きあがりかけたわたしは、またたおれた。

「もしおどの！」

岸から為氏《ためうじ》がさけぶ。

立ちあがろうとすると、男が衣《ころも》をつかんだ。そでをひっぱり、すそをふみつける。

ひっぱってもびくともしない。

「はなせ、このっ」

為氏が遠くなる。このままつれられていって、いいわけない。

わたしはしゃにむにもがいて、衣からうでをひきぬいた。朝、衣を着なおしたときに、わけがわからなくなったので、いちばん下の二枚《まい》だけ帯でむすび、のこりの三、四枚は、はおっただけにしてあった。

そのおかげで、上の衣がごっそりとぬげた。船《ふな》べりにのがれ、そのままのいきおい

で、川に飛びこんだ。

つめたい。首まで水につかってもがく。

衣《ころも》がからんで、うまく動けない。頭が水にしずんだ。鼻に口に水がおしよせ、わたしはうろたえた。

こわい。息ができない。

「もしおどのっ」

ざばっと水音がした。すぐに、手をつかまれた。二度目だと思った。手をとってひきあげてもらったのは。

水面に顔が出て、必死に息をついた。為氏《ためうじ》がわたしをひっぱり、流れに逆《さか》らって進む。

「若《わか》さま、こちらです」

屋敷《やしき》の召使《めしつか》いがさしだす手につかまり、岸にはいあがる。

ふりかえると、船はわたしの赤い衣をひらひらさせ、流れに乗って遠ざかっていった。

五

明月記《めいげつき》という日記

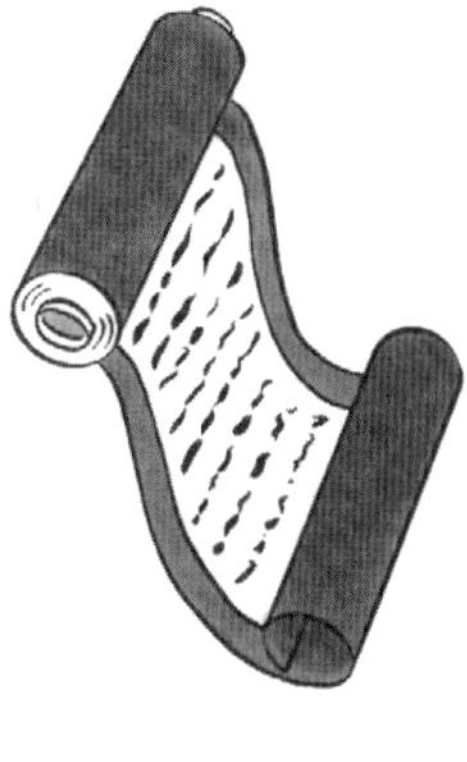

屋敷《やしき》にもどると、定家《ていか》さんが心配していた。

「本気で松帆《まつほ》の浦《うら》に行くとはのう。さらわれてしまわなんで、ほんによかった」

定家さんは、わたしのいうことを冗談《じょうだん》だと思っていたけど、それをきいた為氏《ためうじ》が、いそいで追いかけてくれた。常識《じょうしき》はずれなことでも、わたしならやりかねないと思ったみたい。

女房《にょうぼう》たちがあつまり、びしょぬれのわたしを着がえさせてくれた。にぎやかに、ちょっと楽しそうに。

今度は緑色の衣《ころも》だ。濃《こ》い緑からうす緑へと、何枚《なんまい》も着せかけられる。前は梅の花で、今度のは柳《やなぎ》の葉っぱの色なんだって。

自分も着がえてきた為氏《ためうじ》が、むっと口をむすんでいった。

「見知らぬ地に、売りとばされるところだったのだぞ」

身ぐるみはがれて殺されて、そのへんにすてられることもあるという。

さっきのわたしみたいに、いかにも貴族《きぞく》の娘《むすめ》みたいなかっこうの女の子が、ひとりで出歩くなんて、とんでもないのだそうだ。

定家《ていか》さんはもちろん、為氏でも、屋敷《やしき》から出るときは、供《とも》をつけるという。

京がこんなにぶっそうだとは、知らなかった。帝《みかど》がいるところなのに。船着き場だって、人がたくさんいる、にぎやかなところだったのに。

「ごめんなさい。知らずに飛びだして、軽率《けいそつ》でした」

定家さんにあやまる。それから為氏にむかって、もう一度頭をさげた。

「助けに来てくれて、ありがとう」

「いや……。もしおどのは、おのれの力で悪漢《あっかん》からのがれた。あれは勇敢《ゆうかん》だった」

ほめられているのかと思ったら、為氏は眉《まゆ》をよせた。

「そのへんの姫《ひめ》にはできないことだ。京のことを知らない。おじいさまのことも知っているようで知らず、かわったことばかりいう。どうにも、この世の者とは……」

ぶつぶついって、いやいやまさかと、首をふっている。

わたしは、あらためていった。

「でも、松帆《まつほ》の浦《うら》に行きたいんだよ」

為氏《ためうじ》がたずねる。

「あの歌の舞台《ぶたい》か。なぜそれほどまでして行きたいのだ」

「定家《ていか》さんが、自分の歌をうたったその場所に、こぬ人をはいるんじゃないかと思って。見つけて、つれもどしたい。どうしても」

定家さんが「ふうむ」とうなった。

「わが歌を、気に入ってくれるのはうれしいが、わたしは松帆の浦へ行っておらぬぞ」

「ええっ？」

思わずさけんでしまう。

「内裏《だいり》の歌合《うたあわせ》のためにつくったその歌は、経験《けいけん》したことではない。女人《にょにん》の気持ちになりかわり、想像《そうぞう》をめぐらせてうたったものだ。気づいたかな。こぬ人を『まつ』に、松帆《まつほ》の浦《うら》の『松』をかけてあるのだよ」

　定家《ていか》さんはつづける。

「四季や風景を描写《びょうしゃ》する歌は、見たままを写しとるものだが、恋《こい》の歌はそうではない。わが身に起こっていないこと、この世ではありえぬことも、うたってかまわない。おのれをぬぎすて、だいたんにうたうのだ」

　そうなの？　為氏《ためうじ》を見ると、そうだ、とうなずいている。

「恋の歌にかぎらず、詠《よ》まれたことがらは、かならずしも実体験ではない。歌は、あたえられた題に応《おう》じて詠むものだから」

　そういうものなの？

「じゃあ、そこに、こぬ人をは、いないってこと？」

「そうなる」

　為氏が気《き》の毒《どく》そうにいう。

「それじゃあ、いったい、どこにいるんだろう」

　もうひとつの候補《こうほ》の内裏《だいり》も、ちがう気がしてきた。飛ばされてきた、この時代のどこかにいるはずなんだけど。

定家《ていか》さんがあごをひく。

「腰《こし》をすえて、さがしてはどうだな。わすれておるようだが、歌を学ぶのもおろそかにするでないぞ。まあ、きょうのところは、よく休むのだな。わたしもじっくり考えたいことがある。それではな」

女房《にょうぼう》に手をとられ、定家さんは行ってしまった。為氏《ためうじ》に、あとはたのむといいおいて。

「たしかにそうだね」

やみくもに飛びだしても、あぶないばかりだ。京のことも、歌のことも、もっと知らなくちゃ。そして、こぬ人をがなにをしたかったのか、なにかいってなかったか、思いださないと。

「うん。まずは、弟子《でし》をがんばるよ。よろしくおねがいします、先輩《せんぱい》」

ぺこっと頭をさげると、為氏はちょっとあわてて、せきばらいをしていった。

「よかろう。歌の道はきびしいぞ」

翌日《よくじつ》は、朝起きるとすぐ為氏がやってきた。

ついてくるようにいわれ、縁側《えんがわ》のかどをいくつもまがっていく。

いつも使っている部屋は、あまり壁《かべ》がなく、広い空間をついたてや障子《しょうじ》、すだれなどで仕切っているが、為氏《ためうじ》が足をとめたそこは、壁にかこまれた部屋だった。母屋《おもや》からすこしはなれた独立《どくりつ》した建物で、渡《わた》り廊下《ろうか》でつながっている。

「文庫《ふみくら》だ」

うながされて入ると、うす暗くて、すこしほこりっぽい。それに墨《すみ》のにおいがする。小さな窓《まど》がひとつだけあるが、北側なんだろう、あまり強い光はさしこんでいない。

いくつもの棚《たな》があった。おいてあるのはとじた紙——本だ。立ててならべてなくて、分けてつんである。巻物《まきもの》もある。

「おじいさまがあつめた古今《ここん》の書物、おじいさまがいままでに書かれたもの。そして、それを写したものだ」

「たくさんあつめたねえ」

「多くは、おじいさまが書きうつしたものだ。貴重《きちょう》な書物を借りだし、書きうつす。若《わか》いころからされてきたことだが、いまもさかんに写されている」

「へえ、たくさん書いたねえ」

ぐるりと見まわしていると、為氏《ためうじ》が一冊《さつ》手にとり、こっちによこした。

「もしおどのは、これからはじめるといい」

そして自分は巻物《まきもの》をもって文庫《ふみくら》を出ていく。

「これなに？」

「古今和歌集《こきんわかしゅう》だ」

「こきん……？　定家《ていか》さんがつくったって、きのう話してた？」

「それは新古今和歌集」

為氏は、近くの部屋の仕切りを動かし、場所をつくった。縁側《えんがわ》に面したあかるい場所に机《つくえ》をおく。板の床《ゆか》に草で編《あ》んだまるい敷《し》きものをしく。そして紙とすずりと、墨《すみ》と筆をそろえる。

あごでしめされて、わたしも机をもってくる。となりにおいたら、もっとはなせという顔をするので、九十度背《せ》をむける。建物のかどの部屋なので、こっちも縁側にむいている。

「えっと、これを？」

わたされた本をおいてたずねると、為氏《ためうじ》は墨《すみ》をすりながらこたえた。

「書きうつす。歌を学ぶのだろう？　古今和歌集《こきんわかしゅう》は、醍醐《だいご》の帝《みかど》の御代《みよ》に、紀貫之《きのつらゆき》らによって編《あ》まれた本邦初《ほんぽうはつ》の勅撰《ちょくせん》和歌集――この国ではじめて、帝の命令により、すぐれた歌をえらんで編まれた歌集だ。とくに紀貫之による仮名序《かなじょ》、つまり仮名で書かれた序文、前書きだが。これは歌を学ぶなら、まずは読むべきものといわれている」

紀貫之といえば、きのうの梅の歌の作者だ。

百人一首かるたの「花ぞ昔の」の取りふだは、えらそうなところのない、にこにこしたふだだったから、そんなすごい人の歌とは知らなかった。

「へえ、そうなんだ」

わたしの、ありがたみのないようすがおもしろくなかったようで、為氏はいったん墨をおいた。

「古今和歌集を、こうして手にできること自体、なみなみならぬことなのだぞ。書物というのは、貴族《きぞく》の家ならどこにでもあるというものではないし、気軽に借りられるものでもない。運よく借りられたら、書きうつして自分のものにする。そういうものだ」

この時代はまだ、一部の仏教《ぶっきょう》の本をのぞいて、印刷された本はない。どこかで本を売っているのでもない。だれかが書いた最初の一冊《さつ》を、書きうつすことでしか本は生まれない。書きうつされて伝わってきたものを、さがしだしてまた書きうつす。あの文庫《ふみくら》にあるたくさんの本をそろえるのは、たいへんな苦労だ。

それはわかった。なので、神妙《しんみょう》にうなずいて、机《つくえ》にのせた本をひらいた。ひらいてみたところで、声をあげた。

「え、いや、むりでしょう」

書きうつすどころか、まるで読めない。漢字なの？　ひらがななの？　線がからまってもつれ、ほどけて流れている。

うなっていると、為氏《ためうじ》がいった。

「たいせつなのは、文字の上手下手《じょうずへた》ではない。正確《せいかく》さだと、おじいさまはおっしゃった。書きうつせば、どうしても写しまちがいが生まれる。それはさけなければならない。後の世の人にただしく伝えるためだ。それと多くを書くためのはやさ、読みやすさもだいじだ」

為氏があんまり真剣《しんけん》な表情《ひょうじょう》で話すので、わたしは口をとじて机にむかった。やるといったんだからやる。読めなくても、まねして書くことはできるはず。

まず墨《すみ》をする。そして筆をとって紙におろす。あわてず、ゆっくり――。

ぐにゃぐにゃしたものができあがる。文字にはとても見えない。紙のはしに墨が飛んでるし、その上まっすぐいかず、ななめになってる。

（だめだ、やっぱり）

そうそうに筆をほうりだし、ほおづえをついた。外はいい天気で、青い空が見える。召使《めしつか》いが火鉢《ひばち》をもってきてくれた。日のあたるところはぽかぽかしているけど、あけはなした部屋はちょっとさむい。かじかみかけた指を、火鉢にあててほっとする。

為氏《ためうじ》はと見れば、まじめな顔で筆を動かしている。わたしが書いていたのはたぶん仮名《かな》だけど、為氏が書いているのは漢字だ。

「なに書いてるの？」

「おじいさまの日記だ」

「日記を書きうつす？　なんのために？」

よくわからずにききかえすと、為氏はあっさりいった。

「おじいさまが、宮廷《きゅうてい》でどんな儀式《ぎしき》に参加したか、そのときどんな衣装《いしょう》で、どんな手順だったかくわしく書いてある。家の者が、おなじような儀式《ぎしき》に出るときに、こまらないように」

「そういう日記なんだ」

しきたりをまちがえないように、書いてのこしてあるってことかな。貴族《きぞく》もなかなかたいへんなんだなと感心すると、為氏《ためうじ》は肩《かた》をすくめた。

「儀式をとどこおりなくこなすのが、出世の道だからな。まあ、おじいさまの若《わか》いころは、だが――」

そういって筆をおき、うーんとのびをした。

「とはいっても、さすがに衣《ころも》の色やらもようやら、だれがどんな順でならんでたかとか、えんえんつづくとあきてくる。愚痴《ぐち》や上皇《じょうこう》さまへのうらみごとのほうが、まだましといおうか……」

為氏はのびをしたまま、うしろにねころがった。

人にはきびしくいうくせに。

それにしても、定家《ていか》さんの日記は、愚痴やうらみごとも書いてあるんだね。

わたしも、まねしてひっくりかえる。庭の梅の木に日があたっている。まっ赤できれいだな。鳥の声がきこえてくる。

為氏《ためうじ》がつぶやいた。


　世上《せじょう》の乱逆《らんぎゃく》、追討《ついとう》、耳に満つといえどもこれを注《ちゅう》せず。

　紅旗征戎《こうきせいじゅう》、吾《わ》がことにあらず――


首をまわして「ん？」とききかえす。

「おじいさまは、日記のはじめのほうにそう書いた」

為氏は天井《てんじょう》に目をおいたままいった。

「世間は東国《とうごく》で起こった反乱《はんらん》と、反乱した者を攻《せ》め滅《ほろ》ぼせという命令、そんなうわさでもちきりだが、それをいちいち記さない。赤い軍旗《ぐんき》を立て、敵《てき》を討《う》つことは、わたしが心をなやませることではない――。世の中にはいくさが起こっているが、自分は歌の道に心をかたむける、そんな気持ちだろうか」

わたしはむくりと起きあがった。

「いくさ？　平安《へいあん》時代なんでしょう？　いくさなんてないよね？」

為氏《ためうじ》は、なにをいってるんだこいつという顔をした。

「もしおどののいうことの、半分は意味がわからぬ」

それはおたがいさまだ。でもたしかに、平安《へいあん》時代に、平安時代とはいわなかったよね。それに、あとから知ったけど、平安時代にもいくさはあった。将門《まさかど》の乱《らん》とか、おもに地方でだけど。

それはともあれ、平安時代のイメージは、その名のとおり平安だ。

「いくさってきいて、びっくりしたんだよ。京では貴族《きぞく》がこう、まったりのんびりと歌をおくりあっているのがふつうかな、って思ってたんで」

そんなふうにいうと、為氏は起きあがり、すわりなおした。

「そちらこそ、ずいぶんのんびりした世からやってきたみたいだな。まさか、ほんとうに天から？　天から来たといえばかぐや姫《ひめ》だが……いやいや、到底《とうてい》ありえない」

わたしの顔をあらためて見て、何度も首をふる。ちょっと、ふりすぎじゃないかと思う。

それから為氏は、あらたまって話しだした。たぶん書きうつすのにあきてたんだ。

それで、もの知らずなわたしに、教えてくれたんだ。

「武家《ぶけ》のいきおいがさかんになってから、もうずいぶんたつ。おじいさまが生まれる前のことだから」

それは、いまから八十年ほど前のことだという――。

天皇《てんのう》と上皇《じょうこう》のあらそいをきっかけに、それぞれの側について戦った武家の力が強くなった。

まずは平氏《へいし》が栄えた。それまで朝廷《ちょうてい》で権力《けんりょく》をにぎっていた貴族《きぞく》、藤原氏《ふじわらし》にとってかわり、大きな力をもったのだ。

しかし、やがて、いくさにやぶれて東国《とうごく》に追いやられていた源氏《げんじ》が、平氏を討《う》つため立ちあがった。それがいまから五十五年前。

「おじいさまが日記を書きはじめたのは十代の後半。吾《わ》がことにあらずの言葉は、京にも戦乱《せんらん》がおよんだ、源氏と平氏のいくさの、まっ最中のときだ」

為氏《ためうじ》は写しおえた日記の、はじめのほうをひらいた。

「おじいさまは夜、屋敷《やしき》を歩いている。月がきれいな夜だ。梅の香《か》もにおう」

天晴れる。明月片雲《めいげつへんうん》なし、庭に梅さかんにひらく。

読みあげられると、しずかな夜の庭が思いうかぶ。梅のいいにおいもしてくる気がする。月を見上げ、そぞろ歩く定家《ていか》さん。

そうだった。定家さんの日記は「明月記《めいげつき》」というんだった。信夫《のぶお》さんがいっていたっけ。日記には明月という言葉がしばしば出てくる、だからのちの人が「明月記」と名づけたんだろうと。

為氏《ためうじ》はつづけている。

「しかし、その項《こう》の最後には、火事の記事がのる。梅の花を見ていたら、炎《ほのお》があがっているという声がしたのだ。不穏《ふおん》な世の中を暗示《あんじ》しているようでもある」

日記にはほかにも、いくさのせいで世の中はみだれ、あちこちでぬすみや火事が起こったことが書いてあるのだという。

平氏《へいし》は戦いにやぶれ、西国《さいごく》へと落ちていった。平氏に勝った源頼朝《みなもとのよりとも》はやがて将《しょう》軍《ぐん》となり、鎌倉《かまくら》に幕府《ばくふ》をおいた。

それをきいて、わたしは、小さく声をあげた。

「ああ、鎌倉幕府？」

保管室《ほかんしつ》にいた大きな振《ふ》り子《こ》時計は、もとは村の小学校にいた。学校で習うことにくわしくて、歴史《れきし》の話もきいたことがある。

つまり、いまは平安《へいあん》時代じゃなくて鎌倉《かまくら》時代なんだ。

百人一首かるたの作者は平安時代の人たちが多い。なかには、それより古い時代の歌もあるけど、絵ふだにかかれているすがたは、みんな平安時代のかっこうだ。

百人一首といえば平安時代。歌人は平安を代表する人たち。それをえらんだ定家《ていか》さんは、平安時代のおわりころの人なんだろうって、勝手に思ってた。

たしかにおわりころだけど、定家さんが生きている時間の、半分以上が鎌倉時代で、時代の変わり目にはいくさがあったのだ。

為氏《ためうじ》はいう。

「鎌倉の将軍《しょうぐん》も、すでに四代目だ」

鎌倉では、将軍が三人かわるあいだ、内紛《ないふん》がつづいた。武士《ぶし》たちのあいだのあらそいだ。そして三代将軍が暗殺《あんさつ》された。

そのときの上皇《じょうこう》、後鳥羽《ごとば》上皇は、それを朝廷《ちょうてい》の力をとりもどすチャンスととらえた。将軍の下で幕府《ばくふ》の実権《じっけん》をにぎっていた北条氏《ほうじょうし》をとりのぞく、いくさを起こしたのだ。のちに承久《じょうきゅう》の乱《らん》とよばれる。

ところが、いくさは鎌倉方《かまくらがた》の勝利でおわった。上皇《じょうこう》は負け、隠岐島《おきのしま》に流された。

それからは、次の天皇《てんのう》を決めるのに、鎌倉幕府《ばくふ》の意見が尊重《そんちょう》されるようになった。朝廷《ちょうてい》の力はますますそがれ、武家《ぶけ》が栄える世になったのだった。

「上皇さま――いまは隠岐《おき》の院《いん》とおよびする。隠岐の院が、いくさを起こしたのは十四年前。わたしが生まれたのはその次の年だ。それから大きないくさはない。だからいくさの世は知らないが……」

為氏《ためうじ》はまた日記を指さした。

「あるとき、わが家の荘園《しょうえん》が、武家にむりやりとられそうになったことがあった。さすがにおじいさまも、『世はみだれてもわたしは歌の道を行く』といっていられず、あちこちつてをたよって、とりもどしたらしい。だが、なかには、そのまま没落《ぼつらく》していった貴族《きぞく》の家もある。いくさがあれば土地があれる、その上天候がわるくなって穀《こく》物《もつ》がとれず、ききんが起こった。おじいさまの家でも、召使《めしつか》いたちにひもじい思いをさせ、屋敷《やしき》の庭を畑にしたこともあるのだ」

わたしは庭や軒先《のきさき》を見た。

「ふうん。でもいまはそんなふうじゃないね」

庭はきれいに手入れされているし、屋敷《やしき》は広くてきれいだし、衣《ころも》はいくらでも出てくる。こまっているようには見えない。

「それは、もうひとりのおじいさまの、お力が大きい。母方の祖父《そふ》は出家して、いまは蓮生《れんしょう》という名だが、もとは宇都宮頼綱《うつのみやよりつな》といい、鎌倉《かまくら》の武将《ぶしょう》で……」

為氏《ためうじ》の話のさなかに、女房《にょうぼう》がやってきた。定家《ていか》さんがよんでいるという。

立ちあがった為氏に、わたしもついていく。

定家さんは、すっきりとした顔で、書きものをしていた。となりでべつの女房が墨《すみ》をすっている。

為氏がかしこまると、定家さんは筆をもったまま、矢継《やつ》ぎ早《ばや》に本の題名をあげ、文《ふみ》庫《くら》からもってくるようにという。わたしを見て、顔をかがやかせた。

「おお、もしお。そなたも手伝《てつだ》っておくれ。蓮生どのより、屋敷の障子《しょうじ》にはる色紙《しきし》に書く歌をえらぶよう、たのまれていてな。どのようにえらぶのがよいか、ずっと思案していた。ようやく、思いついたぞ。古今《ここん》の歌人の、これぞと思う一首をえらぶ」

なんだかとっても、うきうきしている。蓮生という名前はさっききいた。為氏のもうひとりのおじいさんだ。

「隠岐《おき》の院《いん》は、百人の歌人をおえらびになった。それにならい、わたしも百人をえらぶ。院はひとりにつき三首をえらばれたが、わたしはひとり一首のみを厳選《げんせん》しよう。隠岐の院をうならせるものにしてみせようぞ」

隠岐の院もさっききいた。鎌倉幕府《かまくらばくふ》に負けて、隠岐島《おきのしま》に流されてしまった上皇《じょうこう》、後鳥羽《ごとば》上皇のことだ。

顔が自然ににやけてくる。定家《ていか》さんが、百人の歌人の、ひとり一首の歌をえらぶ――。

「そなたのおかげで、よい考えがうかんだのだ。でかしたぞ、もしお」

もともと定家さんがしたことで、わたしの手柄《てがら》じゃないけど。でも、そんなふうにいわれたら、やっぱりうれしいよね。

定家さんを手伝《てつだ》いながら、こぬ人をさがす。しばらくそうしよう。とうとう百人一首をえらぶんだもの。定家さんにくっついていれば、こぬ人をはきっと見つかる。

六

定家《ていか》さんと歌仲間

定家《ていか》さんは自室にこもり、歌を書きだし、ときに目をとじてうなっている。

わたしと為氏《ためうじ》は、参考にするための本を、文庫《ふみくら》からはこんでくる。たとえば古今和歌集《こきんわかしゅう》なら二十巻《かん》ある。そのなかの、春上の巻《まき》と秋下の巻などといわれてはこんできたり、歌合《うたあわせ》の覚え書きの山から、いついつの、どこそこでもよおされたもの、と指定されてさがしたりする。

見おわった本は、また文庫にかえす。どれもたいせつなものなので、そのへんにつんでおかず、いちいちかたづける。もしも火事が起こっても文庫は無事なように、生活の場からはなれて建てられている。

おかげで衣《ころも》のすそをふまずに、いそぎ足で廊下《ろうか》を行くことができるようになった。さがしだすのはもちろん為氏《ためうじ》だけど、わたしも題字が見分けられるようになってきて、ちょっとは手伝《てつだ》いができる。

ふしぎなことに、最初はまるでわからなかった墨《すみ》の文字が、だんだん読めるようになってきたのだ。

あかるいところから、ぱっと暗いところに入ると、はじめはよく見えなかったものが、そのうちにだんだん目がなれて見えてくるみたいな感じ。これも、神さまのご配《はい》慮《りょ》かな。

こぬ人をさがしは、行きづまっている。

屋敷《やしき》に来客があれば、こぬ人をじゃないかと見に行った。

定家《ていか》さんをたずねて、いろんな人が来る。すべてに定家さんが会うことはなく、女房《にょうぼう》が会ってすませることもある。

定家さんが会うのは、歌人仲間だ。手紙のやりとりも多い。

いまのところ、それらしい人はいない。顔を見れば、ぴんと来るかなと思うんだけど。

仏堂《ぶつどう》で修行《しゅぎょう》をしているという、定家《ていか》さんの妻《つま》と娘《むすめ》を見かける機会もあった。ふたりの娘は為氏《ためうじ》の父の姉で、関白《かんぱく》（帝《みかど》をたすける貴族《きぞく》）の姫君《ひめぎみ》に仕えていたけれど、姫君が亡《な》くなったため、定家さんの屋敷《やしき》にもどったそうだ。

このかたたちのまわりの召使《めしつか》いにも、こぬ人をはいなかった。

凪《なぎ》さんのことを考えると、あせるけれど、毎日は充実《じゅうじつ》していた。

わたされた古今和歌集《こきんわかしゅう》が読めるようになって、がぜん楽しくなった。写すほうも、なんとか文字らしく書ける。

女房《にょうぼう》たちとも、仲よくなった。女の子が屋敷にいるのはひさしぶりだと、楽しそうに、あたらしい衣《ころも》をつくってくれたり、いろんな色の組み合わせで着せてくれたりする。

ごはんを食べるのも、だいじな楽しみだ。

わたしがこの世界になれていくにつれて、為氏も、わたしになれてきた。

この時代の姫君とは大ちがいで、廊下《ろうか》は走るし、ばたばたと落ちつかなくて、ときどきみょうなことをいうわたしを、天からふってきたのだからしかたないと、思うことにしたようだ。

ほんとうに天から来たと思ってるわけじゃなくて、ありえないと思いつつ、ちょっとだけ、もしかしてとうたがってる感じ。

いちいちおどろくのをやめただけでなく、なにも知らなかったわたしが、いろんなことをおぼえていくのを、おもしろがっているみたいなところもある。

もともと教えたがりな感じもあって、知っていることはもったいぶらない。わからないことをたずねれば、ていねいに教えてくれる。

為氏《ためうじ》の、日々のだいじな仕事は、帝《みかど》の御所《ごしょ》へ出かけていくことだ。なんと、五歳《さい》のときに従五位下《じゅごいのげ》という位をもらって、御所への出仕をはじめ、いまは左《さ》少将《しょうしょう》なんだって。

帰ってきてからと、休みの日は、定家《ていか》さんの書いたものを写している。歌の勉強なのだそうだ。余裕《よゆう》があれば、わたしの相手をしてくれる。

定家さんの歌に、こぬ人ををさがすヒントがあるかもしれないから、定家さんの歌集が見たいというと、為氏はいくつも出してくれた。そして、読みあげてくれた。

たとえば、定家さん十七歳の作。

桜花《さくらばな》　またたちならぶ　ものぞなき　誰《たれ》まがへ《(え)》けん　峰《みね》の白雲《しらくも》

桜の美しさに立ちならぶものなどない、いったいだれが白雲などに見あやまるなどと、いいだしたのだろうか。

目の前に、雲のように、わあっとさいている桜が見えるみたいな歌だ。

「斬新《ざんしん》な歌だろう。おじいさまは、若《わか》いころから、このようにすぐれた歌をつくられている」

為氏《ためうじ》は手ばなしでほめる。

定家《ていか》さんがつくった歌は百や二百じゃなかった。膨大《ぼうだい》にある。

テーマにそって、一度に百首詠《よ》むのが基本《きほん》なのだそうだ。定家さんの父、藤原俊《ふじわらのしゅん》成《ぜい》も歌の大家だ。若くして才能《さいのう》を発揮《はっき》する定家さんに、父は涙《なみだ》を流してよろこんだのだって。

「為氏は？　定家さんにほめられたりした？」

「わたしはまだ、修業《しゅぎょう》の身なので」

為氏はひかえめにいう。定家さんがはじめて百首の歌を詠んだのは、二十歳《さい》のときだというから、たしかにまだ、為氏《ためうじ》には早いのかも。

何冊《なんさつ》もつまれた歌集に目を通しながら、わたしはいった。

「たくさんあるけど、定家《ていか》さんの代表作といったら、こぬ人をまつほの浦《うら》の、だよね」

自画自賛《じがじさん》だけど、あたってるよね。百人一首に入ってるくらいなんだから。

ところが為氏は首をひねった。

「どうであろう。たしかによい歌だが、もっともすぐれているとはいえないのでは。おじいさまの歌で、多くの者が思いうかべるのは――」

為氏は、息をととのえうたう。

見わたせば　花も紅葉《もみじ》も　なかりけり　浦の苫屋《とまや》の　秋の夕暮《ゆうぐ》れ

見わたすと、春の花も、秋の紅葉もない。漁師《りょうし》の粗末《そまつ》な家があるだけのわびしい秋の夕暮れ。

「新古今和歌集《しんこきんわかしゅう》にある。わびしい秋の夕暮れとうたいながら、いっぽうで、きく者に、はなやかな春の花と秋の紅葉《もみじ》を思いえがかせる、すぐれた歌だ」

為氏《ためうじ》が力強くうなずく。

たしかに、なんにもないといいつつ、はなやかな印象《いんしょう》がのこって、おもしろいけど。でもなんか、ちょっと理屈《りくつ》っぽい感じじゃない？

「こぬ人をまつほの浦《うら》の、のほうがいいと思うけどなー。こぬ人をも、きっとそういうよ」

こぬ人をのふだは、定家《ていか》さんの歌である自分が好きだったと思う。

凪《なぎ》さんがいっていたように、わたしたちは、明治《めいじ》時代に生まれた。信夫《のぶお》さんの何代か前の当主が、愛娘《まなむすめ》のためにつくらせた、絵も文字も手描《てが》きの、一点物のかるただ。

代々たいせつにうけつがれ、とくに信夫さんは、絵をとても気に入っていた。

信夫さんは、絵をかくのを趣味《しゅみ》にしていた。退職後《たいしょくご》に日本画をはじめ、村の文化祭に毎年出展《しゅってん》するくらい、うで前をあげた。かるたの絵を参考に、えがいた作品もある。

妻《つま》の千代子《ちよこ》さんは、書道が趣味で、わたしたち取りふだに目をとめ、すばらしい字だといってくれた。

定家好きの信夫さんは、定家の絵がある、こぬ人をを箱から出して、かざっていたことがあった。ほかのみんなは知らない話を、こぬ人をにはしていたのかも知れない。

　こぬ人をは、わたしみたいに、どたばたうるさくなくて、あんまりしゃべらなかった。じっと、信夫《のぶお》さんの話をきいて、自分のなかにためこむみたいなふだだった。

　なにが、こぬ人をの心にのこったんだろう。思いかえしてみても、わからない。ずっといっしょにいたのに。

「もしおどののいうこぬ人をが、歌ではなく人なのはわかるが、それは親やきょうだいなのか、それとも……」

　わたしは、うーんとうなる。

「なんていったらいいのかな。あーでも、きょうだいなら兄かな。うん、ときどき上から目線だし」

　佐藤《さとう》さんたちがかるた取りをしているときに、こぬ人をが読まれても、なにもしないでいたら、「おい」って、しかられたっけ。ここにいるとアピールするべきだって。そんなこといわれてもね。

　わたしより、おとなっぽいことはたしかだ。むずかしそうなこと、考えてそうだし。

「兄ってことにしようか」

そうすれば、人にもたずねやすい。そうしよう。うんうんとうなずいていると、為《ため》氏《うじ》は口もとをゆるめた。

「兄ということにする……か。まあよいか。そのかたは、歌詠《うたよ》みなのか？」

「うーん、どうだかなあ。わたしよりは、くわしいけど……あっ、玉《たま》の緒《お》よ！」

思いだして、わたしは声をあげた。

「玉の緒よ、絶《た》えなば絶えね……あるじゃん、ほらこの歌」

「式子内親王《しょくしないしんのう》のお歌だな。新古今和歌集《しんこきんわかしゅう》の恋《こい》の巻《まき》にある」

「やっぱり知ってた。為氏なら知ってると思ったんだ。さすがだね」

わたしがいうと、為氏は「もしおどのに、ほめられるとは」といいながら、まんざらでもなさそうに暗唱した。

玉の緒よ　絶えなば絶えね　ながらへ《（え）》ば　忍《しの》ぶることの　よわりもぞする

わたしの命よ、絶えるなら絶えてしまいなさい。生きながらえていると秘密《ひみつ》にしていることができなくなり、恋心《こいごころ》が外にあらわれてしまうかも知れないから。

「これも、百人一首に入ってるんだよ。こぬ人をは、玉《たま》の緒《お》よが好きだったんだ。定《てい》家《か》さんと式子内親王《しょくしないしんのう》は、恋人《こいびと》どうしだったんでしょう？」

「なんだと？」

為氏《ためうじ》が目をまるくする。わたしはつづけた。佐藤《さとう》さん夫妻《ふさい》が話していた。

定家さんは、美しい式子内親王に恋をした。式子内親王も定家さんを思って、玉の緒よの歌をつくった。

だけど内親王といえば帝《みかど》の皇女《こうじょ》だ。身分ちがいで成就《じょうじゅ》しない恋。

式子内親王が亡《な》くなっても、ずっと思いつづける定家さんの心が、あまりにも強かったため、葛《かずら》となって内親王のお墓《はか》にまきついてしまった。……そんな話が能《のう》にあり、「定家葛《ていかかずら》」というツル植物の名前になってのこっている。

玉の緒よの読みふだにえがかれているのは、几帳《きちょう》にかくれた高貴《こうき》な姫君《ひめぎみ》。こぬ人をは、その話をきいてから、玉の緒よと、忍《しの》ぶることののふだに、やけにやさしくなったんだ。

「定家さんの歌の『こぬ人』って、式子内親王のことなんでしょう？」

いとしい人をまつ、まつほの浦《うら》の歌は、式子内親王を思ってつくった歌。玉の緒よの歌は、かなわぬ恋《こい》の苦しい思い。

　為氏《ためうじ》はあきれて首をふった。

「どこからそんなことが。そもそも、べつべつのときに詠《よ》まれた歌だ。入っている歌集もちがう。それに、内親王のお歌は、男の立場で詠まれている。忍《しの》ぶ恋という題は、男の側から詠むものだ」

「この歌も、題にそって詠んだ歌ってこと？」

「内親王は、おじいさまの父、俊成卿《しゅんぜいきょう》から歌の教えをうけていた。ともに俊成卿に学ぶものとして、歌を見せあうこともあっただろう。たがいの歌に影響《えいきょう》をうけたはず。だからといって、心ないうわさ話は感心しない」

　たしなめるように、いわれてしまった。そういえば、信夫《のぶお》さんは気に入っていたエピソードだけど、千代子《ちよこ》さんは、それはのちの人がつくった話でしょう、とそっけなかった。

「そっか。なんか、ごめん」

　それはそれとして、現実《げんじつ》はそうだとしても、こぬ人をのふだが、実物の式子内親《しょくしないしん》王《のう》に会いたいと思っても、おかしくない。

「あの、式子内親王《しょくしないしんのう》に会えないかな。こぬ人を――兄さんは、そこにいるかも」

「残念だが、式子内親王はすでに亡《な》くなられている」

「えっ、そうなの？」

これもまた、ちがうんだ。いったいどこにいるんだよ、兄さん。

わたしがため息をつくと、為氏《ためうじ》はべつの歌集をとった。

「気を落とすな。おじいさまの歌は、まだたくさんある。これはどうだ。隠岐《おき》の院《いん》が手がけた歌集だ」

はげましてくれている。わたしは気をとりなおして、歌集をのぞきこんだ。

「隠岐の院？　ああ、定家《ていか》さんが対抗意識《たいこういしき》を燃《も》やしている人だよね」

「おじいさまの来《こ》し方《かた》に、重要な位置をしめているのは、式子内親王よりも、隠岐の院だ。おじいさまは、隠岐の院のひきたてで、歌人としての地位をたしかにしたのだから。――ただし、隠岐の院に会いに行きたいなどというなよ」

さきまわりしていわれた。

式子内親王より重要な人なら、ぜひ会いに行かなくちゃ、と思ったんだけど。

「だめって、まさか死んじゃってるの？」

「生きておられる。だが隠岐《おき》の院《いん》がおられる隠岐島《おきのしま》は遠く、また幕府《ばくふ》のゆるしがなければ、会うことはかなわぬ」

隠岐島があるのは島根県《しまねけん》。凪《なぎ》さんのいる時代とちがって、この時代ではきっととっても遠い。

隠岐の院は後鳥羽《ごとば》上皇《じょうこう》といい、もとの天皇《てんのう》であり、天皇の父でもあった。上皇というのはそのころ、天皇より大きな力をもっていた。

京にいたころの隠岐の院は、蹴鞠《けまり》、双六《すごろく》、今様《いまよう》（流行歌。今風という意味）をうたうこと、牛馬を走らすこと、離宮《りきゅう》での船遊びなどなど、さまざまなことに熱心で、どれもすぐれていた。

とくに和歌には深い関心をもち、定家《ていか》さんを高く評価《ひょうか》した。歌集の編集《へんしゅう》を命じ、定家さんを選者のひとりにえらんだ。それはとっても名誉《めいよ》なことなのだった。

しかし、歌集の編集はなかなか進まなかった。為氏《ためうじ》はいう。

「院は活発で、他人にまかせておけないおかただ。歌のよしあしを見るたしかな目ももっておられた。それゆえ、選者たちがこうと決めた歌を、次つぎ入れかえてしまわれるのだ」

選者としては、たまったものではない。さんざんもめたのち、何年もかけて新古今《しんこきん》和歌集《わかしゅう》はできあがった。さらに完成後も、切りつぎといって、歌の入れかえがおこなわれた。

院はいまでも、隠岐《おき》で新古今和歌集の切りつぎをされているという。

「おじいさまは、ご自身をひきたててくださった院のことを、とてもだいじに思われている。感謝《かんしゃ》もされている。院も、歌のことならおじいさまにならぶものはないとおおせになったくらい、信頼《しんらい》されていた」

しかし、と為氏《ためうじ》はつづけた。

「たがいに才能《さいのう》のある者どうし、ゆずれぬこともある。おじいさまと院とは、歌をめぐりさまざまな気持ちの行きちがいがあった。最勝四天王院《さいしょうしてんのういん》の障子《しょうじ》にはる歌をえらんだときもそうだ」

新古今和歌集の完成よりあとのこと。院があたらしく建てた最勝四天王院という建物の障子に、風景の絵とそれに合わせた歌がかざられることになった。

「院は、定家《ていか》にまかせるとおおせになられた。ところが院は、おじいさまがえらんだ歌を入れかえたのだ。それも、おじいさまが気に入っていた、おじいさま自身の歌を、ちがうかたの歌に」

本をきっちりつみなおしながら、為氏《ためうじ》は肩《かた》をすくめた。

「院は思うままにふるまわれるおかただが、おじいさまも、歌のこととなると、院に負けずおとらずがんこで、はっきりものをいったようだ」

そのとき、定家《ていか》さんがいかに腹《はら》にすえかねたか、ということが、日記にくわしく書いてあるそうだ。それを伝えきいた院も、おもしろくはなかっただろう。

そんなこんなが重なり、定家さんはとうとう院のおいかりをうけた。ゆるしが出るまで、家の門をとじ謹慎《きんしん》するように命じられてしまったのだ。

定家さんは家にとじこもった。そのさなかに起こったのが、院と鎌倉《かまくら》とのいくさだった。院は定家さんにゆるしを出さないまま、隠岐《おき》に流されてしまった。それきりなのだそうだ。

隠岐島《おきのしま》の院のもとには、かぎられた側近だけがいる、質素《しっそ》で不自由な生活だが、京との手紙のやりとりはしてもいい。

「院のご消息は、おりおり朝廷《ちょうてい》に知らされる。貴族《きぞく》たちも文《ふみ》をおくっている。けれど、おじいさまはがんとして、院に文をお出しにならない。あちらから、ゆるすといっていただかないうちはと、がんこに思っておいでなのだ」
隠岐《おき》で院がつくった歌集も、京に伝わってきている。
それが、定家《ていか》さんがいっていた、隠岐の院が百人の歌人をえらんだという歌集だ。時代不同歌合《じだいふどううたあわせ》といい、時代に関係なく、ふたり一組で五十組の歌人が、それぞれ紙上で歌合をするかたちになっている。

「おじいさまもえらばれているのだが、組になった相手が不満で、『このような名の歌詠《うたよ》みがいたとは、はじめて知りましたよ』と皮肉をおっしゃったとか」

「つまり、連絡《れんらく》はとらないといいつつ、定家さんは院のことが気になって、歌集はしっかり見たってことだね。院もいろいろあっても、ちゃんと定家さんをえらんでる。意地をはっていても、じつはおたがいに認《みと》めあったライバルってところかな」

わたしが、そうかそうかとうなずくと、為氏《ためうじ》はちょっと首をかしげ、そしてしみじみといった。

「天の言葉はわからぬが……。そう、たしかに院あっての、おじいさまなのだろう」

七

鎌倉《かまくら》の武者《むしゃ》

手がかりがないまま日がすぎた。あたたかくなってきて、桃《もも》や桜《さくら》がさき、庭は花ざかりだ。

その日、屋敷《やしき》に蒔絵《まきえ》の箱がとどけられた。金と銀のもようがえがかれた、きれいな箱には、新勅撰和歌集《しんちょくせんわかしゅう》二十巻《かん》がおさめられている。

定家《ていか》さんが、帝《みかど》に命じられて編集《へんしゅう》した歌集だ。後鳥羽上皇《ごとばじょうこう》に献《けん》じた新古今《しんこきん》和歌集につづいて、二度目の栄誉《えいよ》になる。それも、新古今のときは、何人かいる選者のうちのひとりだったが、今回の選者は定家さんひとりだけだ。

ところが命じた帝が亡《な》くなってしまい、歌をえらんだところで中断《ちゅうだん》になっていた。

それを帝《みかど》の祖父《そふ》である関白《かんぱく》の強いすすめで昨年完成させ、字の上手《じょうず》な人に清書をたのんであったのだという。

箱だけでなく、なかの巻物《まきもの》も豪華《ごうか》だ。きらびやかな紙も、軸《じく》の先端《せんたん》に使ったきれいな石も、定家《ていか》さんがえらんだ最高級品。贅《ぜい》をつくした仕上がりになっている。

為氏《ためうじ》をはじめ、家じゅうの者がよろこび、定家さんをほめたたえた。定家さんもできばえに満足し、笑《え》みを見せた。

なのに、なぜだか定家さんは、ふとしずんだようすになる。なにか気にかかることがあるみたいだ。

定家さんは、できあがった歌集を関白に献上《けんじょう》するため、身支度《みじたく》をととのえて出かけていった。

のこされたわたしたちは、ぽっかり手があいてしまった。

すると、為氏が出かけるという。

「しばらく帰っていないので、家に行く」

「わたしも行く」

屋敷《やしき》のなかにいるばかりじゃ、こぬ人をの手がかりは見つからない。

「そういいだすのではないかと思った。どうぞ、天からの客人の望むままに」

為氏《ためうじ》が苦笑《くしょう》しつつ、承知《しょうち》する。

女房《にょうぼう》たちが楽しそうに外出着を着せてくれた。

身分のある女の人が外出するときは、頭から衣《ころも》をかぶったり、笠《かさ》から布《ぬの》をたらしたりするものらしい。

「もしおさまが、笠をかぶって、つつしみぶかく歩いていかれるとは、思えませぬ」

ひとりがいって、ほかの女房がうなずく。

用意してくれたのは、水干《すいかん》という貴族《きぞく》の男の子のかっこうだ。

上衣《うわぎ》のすそを袴《はかま》のなかに入れ、袴は足首のところで、ひもできゅっとむすんである。このほうが、ずっと歩きやすい。

為氏は烏帽子《えぼし》を頭にのせているけど、わたしは髪《かみ》をまんなか分けにして、両耳でくるりとむすんでもらった。鏡を見ると、なかなかかわいい。

うれしくなって、足取りかるく屋敷《やしき》を出る。

うしろを、刀と弓矢をもった男の人がついてきた。ちょっと年をとっているけど、ひげの立派《りっぱ》な武者《むしゃ》だった。外出するときに、供《とも》をつけるときいたけど、ものものしく武装《ぶそう》した人がついてくるとは。

「たしかにこの前はあぶなかったけど、ここまでする必要ある？」

為氏《ためうじ》にたずねると、こういうものだと、こたえがかえってきた。

「武家の世だといっただろう。力がものをいう世なのだ。貴族《きぞく》だけでなく、いまどきは、下女でも武者《むしゃ》をつれて歩く」

まだまだ、覚悟《かくご》と用心がたりなかったみたいだ。気をひきしめてついていく。

道を行く人は、なにくわぬ顔で歩いている。しゃべりながら、楽しそうに歩いている人もいて、それほど気をはっているようでもない。

でも、よく見れば、あちこちに武者のすがたがある。身なりのいい人のそばには、かならずいるようだ。

大きな刀を腰《こし》に、弓を背《せ》にして、数人でかたまっていく武者がいた。

「あれは、六波羅《ろくはら》の武者だ」

為氏がいう。

六波羅というのは、鎌倉幕府《かまくらばくふ》の京出張所《しゅっちょうじょ》みたいなところだ。京の治安を守るとともに、鎌倉の意向を朝廷《ちょうてい》に伝える役目をしている。鎌倉の武士が、交代で任務《にんむ》にあたるそうだ。

武装《ぶそう》しているのは、武者《むしゃ》だけじゃなかった。ひとりで歩いている物売りの帯に、刀がさしてある。買いものの帰りの下女がつれた男の子が、身《み》の丈《たけ》にあまる太刀《たち》をもっているので、思わずふりかえる。為氏《ためうじ》とそんなにかわらない年だ。

道には、とぎれることなく人が歩いていた。ときどき牛車《ぎっしゃ》や馬ともすれちがった。

為氏の父の家は、それほど遠くなく、あぶない人に会うこともなくついた。冷泉《れいぜい》という通りに面しているから、冷泉の屋敷《やしき》という。

広くて、いくつもの建物が廊下《ろうか》でつながっているのは、定家《ていか》さんの家とおなじだが、雰囲気《ふんいき》はずいぶんちがった。

為氏の父は歌の家をついでいるし、朝廷《ちょうてい》の役目もある。引退《いんたい》している定家さんの家とちがい、召使《めしつか》いも多いし人の出入りも多い。あちこちで話し声がして、廊下を人が行きかう。家を守る武者も、だんちがいに多い。

いままでいたところは、ずいぶんしずかだったんだと、廊下で為氏をまちながら思った。

父のところに、あいさつに行った為氏がもどってきた。

「母のところにも、ごあいさつに行く」

そういって、反対側の建物にむかう。わたしもいっしょに行っていいというので、ついていく。

為氏《ためうじ》の父は、定家《ていか》さんの屋敷《やしき》にちょくちょくやってくるので、会ったことがあるが、母にははじめて会う。

為氏の母の父が、定家さんに障子《しょうじ》にはる歌をえらぶようたのんだ、蓮生《れんしょう》さんだ。

蓮生さんはもともと、鎌倉幕府《かまくらばくふ》の武将《ぶしょう》だった。家を息子にゆずり、隠居《いんきょ》して京にやってきて、京の北西、嵯峨《さが》の地に屋敷をかまえた。僧《そう》になり蓮生と名をかえ、仏《ほとけ》の教えを守りながら、定家さんをはじめ京の文化人と交流している。

後鳥羽上皇《ごとばじょうこう》が隠岐《おき》に流され、鎌倉幕府の力が強くなり、世の中がかわっていって、没落《ぼつらく》していく貴族《きぞく》もあるなかで、定家さんの家は、鎌倉の有力者である蓮生さんとつながりをもったことで生きのこり、いまは経済的《けいざいてき》にも安定しているというわけだ。

為氏のおかあさんは、わたしをにこやかにまねきいれてくれた。

「きいていますよ。歌を学びたいというかたですね。よくおいでなさいました」

ふっくらした、やさしそうな人だ。

部屋には、よちよち歩きの女の子と、八歳《さい》くらいの男の子もいた。男の子が「兄うえ！」と、為氏《ためうじ》に飛びつく。女の子もかたことでよびかけ、やってくる。

おかあさんは、それをにこにこと見て、わたしを手まねく。もっと近くにと、敷《し》きものをすすめてくれる。

「ずいぶんお若《わか》いのに、歌を学びたいとは立派《りっぱ》なお心がけです」

「いえ、そんな」

わたしはてれた。こぬ人をさがすためだから、そういわれると、申しわけない気がする。でも、いまはすこしずつだけど歌の本を読んでいるのだから、ぜんぜんうそでもないと思いなおす。

「さあさ、菓子《かし》などめしあがれ」

侍女《じじょ》が足のついたお皿をもってきた。細長いおもちを小さくちぎったみたいな、白くてやわらかそうなものがのっている。

「なんですか、これ？」

さっそく手をのばし、口に入れる。

ふにゃんとした歯ごたえで、ほのかな甘味《あまみ》が口のなかにひろがる。

「なにこれ、あまい。おいしい」

お菓子《かし》なんて、はじめて食べた。こんなにあまいものもはじめてだ。いそいでもうひとつ口に放りこむと、おかあさんがほほえんだ。

「ふずくにはふつう、甘葛《あまづら》（ツタからとった甘味料《かんみりょう》）を入れるけれど、はちみつが手に入ったのですよ。気に入っていただけてうれしいこと」

ふずくとは、米や麦やいろんな粉《こな》をまぜてこね、ふかしたものだそうだ。

弟たちを、ひざのあたりにまとわりつかせた為氏《ためうじ》がやってきて、もごもごしているわたしにあきれる。それから姿勢《しせい》をなおし、ていねいに頭をさげた。

「ごぶさたいたしました」

「かわりありませんか。歌の修練《しゅうれん》もたいせつですが、ときどきは顔をお見せなさい」

おかあさんはやんわりといって、為氏にも菓子をすすめた。定家《ていか》さんの屋敷《やしき》でのようすをあれこれとたずねる。

しばらく話すうちに、退屈《たいくつ》した弟と妹が、為氏の手をひっぱる。

またお菓子がはこばれてきた。わたしはそれをつまみ、為氏は弟たちの相手をし、気がつくと午後おそくまでおじゃましていた。

そろそろ帰ろうかというとき、召使《めしつか》いが来客を知らせた。おかあさんが顔をほころばせる。

「おねがいしておいた、源氏物語《げんじものがたり》の製本《せいほん》が仕上がったのでしょう。お通しして」

為氏《ためうじ》がたずねる。

「おじいさまの源氏ですか？」

「ええ。写しおえたので、信実《のぶざね》さまに製本をおねがいしてあったのです」

信実という人は、絵をかく人だという。お屋敷《やしき》に、絵巻《えまき》や冊子《さっし》を製本する職人《しょくにん》をかかえているそうだ。

本を手もとにおきたいと思ったら、手で書きうつすしかない。おかあさんは、定家《ていか》さんが写した源氏物語をもとに、また書きうつして本にした。

定家さんは、歌集のほかに、物語や日記などいろんなものを写して、文庫《ふみくら》に入れている。

いままで見たのは、古今和歌集《こきんわかしゅう》とか、新古今和歌集とか、知らないものばかりだったけど、源氏物語ならきいたことがある。源氏物語の作者、紫式部《むらさきしきぶ》の歌も、百人一首の箱のなかにいる。こんな歌だ。

めぐり逢《あ》ひ《（い）》て　見しやそれとも　わかぬまに　雲隠《くもがく》れにし　夜半《よわ》の月かな

ひさしぶりにお会いして、いま見たのはその人かどうか見分けもつかないあいだに、雲隠れした夜半の月のように、あなたはお帰りになったことです。

ちょっとうれしくなって、わたしは声をあげた。

「源氏物語《げんじものがたり》なら、わたしも知ってます」

おかあさんが、ほほえむ。

「まあ、うれしいこと。長い物語ですけれど、どの帖《じょう》がお好みかしら」

「あ、ええと、読んだことはなくて」

光源氏《ひかるげんじ》が主人公のお話。考えたら、それくらいしか知らなかった。気まずくなっていると、為氏《ためうじ》がいった。

「わたしもまだ、すべては読めていません。五十四帖を読破《どくは》するのは、なかなかに骨《ほね》ですね。歌を学ぶなら読むべきと、おじいさまのお父君、俊成卿《しゅんぜいきょう》はおっしゃったそうですから、いずれはと思っていますが」

わたしは、為氏《ためうじ》を見た。助けてくれたんだよね。よくわかってないのに口をはさんでしまって、はずかしくなってるわたしを。

為氏はつづけた。

「源氏《げんじ》は、いまから二百年以上前に書かれた物語。写本がくりかえされるうち、写しまちがいや、書きくわえられたような部分もあり、本によって文章がちがう。それを、おじいさまが読みくらべ、もとの本にいちばん近いと思われるもの、いちばんよいと思われる文章にととのえたのでしたね」

「そうです。わかりにくい昔の言葉は、いまの言葉にしてくださいました」

おかあさんがうなずく。為氏がいう。

「おじいさまが書きあげたものは、お好きな青い紙を表紙に製本《せいほん》し、文庫《ふみくら》にもおさめられている。それをもとに、家じゅうのみなでいくつも清書したときいています」

「わたしの手もとにあるのは、そのときのものですよ。ひとそろい、いただいたの。それをかしてほしいという声も多いので、予備《よび》にもうひとそろい、つくっておこうと思って」

そんな話をきけば、読んでみたいなって思う。読んだよって話したら、紫式部《むらさきしきぶ》の歌の取りふだ「雲隠《くもがく》れにし」は、おどろくだろうな。

為氏《ためうじ》のおかげで、いろんなことを知った。やってみたいこともふえた。

早くこぬ人をのふだを見つけて、凪《なぎ》さんのところに帰らなくちゃいけない。

それなのに、源氏物語《げんじものがたり》を読んでみたいなんて、まちがってる。

だけど読んでみたいという気持ちが、わいてしまう。古今和歌集《こきんわかしゅう》を最後まで写したいし、定家《ていか》さんの話もききたい。歌のことも、ほかのことも、もっといろんなことを知りたい。

「ちょうどよいところに来てくれましたね、為氏どの」

おかあさんの声で、われにかえる。

「使いをおねがいできますか。とどいた源氏を、六波羅《ろくはら》にとどけたいのです。鎌倉《かまくら》から泰綱《やすつな》どのがいらしています。為氏どのも会いたいでしょう」

それをきいた為氏の顔が、ぱっとあかるくなった。

「泰綱叔父君《おじぎみ》が！　ええ、もちろんです。使いがなくてもまいります」

その人は為氏の叔父さん、おかあさんの弟だという。よほど会いたい人なのか、ずいぶんうれしそうだ。おかあさんは笑っている。

「先日、こちらにおいでくださったの。奥方《おくがた》さまが源氏物語《げんじものがたり》をお望みときいて、仕上がっていた分だけ、その場でおわたししました。いまとどくのは、そののこりの十冊《さつ》。それをとどけてほしいのです」

「わかりました」

為氏《ためうじ》がこたえたとき、お客を迎《むか》えに行った女房《にょうぼう》がもどった。縁側《えんがわ》の床《ゆか》をきしらせやってきたのは、若《わか》い僧侶《そうりょ》だった。髪《かみ》をきれいにそりあげ、肩《かた》から袈裟《けさ》をかけている。やけにすずしげな目をしていて、ものしずかで頭の切れそうな印象《いんしょう》の人だ。

その人は、入ってくるなり、わたしを見た。目にかすかにおどろきが走った。しかし、すぐに目をそらし足を進める。

（どこかで、会ったことがある？）

そう思ったとたん、胸《むね》がどきどきとさわぎだした。

知らない人だ。会ったことはないはず。だけど……。

「信実《のぶざね》の子、信海《しんかい》と申します。父の使いにて、源氏物語をおとどけにあがりました」

わたしは、食いいるように、その人を見た。なにか決め手はないかとさがす。

おかあさんがこたえた。

「信海《しんかい》さま。おうわさはきいておりますよ。信実《のぶざね》さまのもとで絵を学び、わずか三年でめきめきうでをあげられたとか。お父君もさぞ、およろこびでしょう」

「おそれいります」

信海はいって、冊子《さっし》をさしだした。きれいな紙で表紙がつけられた本だ。

為氏《ためうじ》が、ふとわたしを見た。わたしは血の気のない顔をしていたにちがいない。

「どうした、もしおどの」

たずねられて、声がこぼれでた。

「こぬ人を……？」

為氏が目をみはる。ほかの人にはきこえなかったようだ。

わたしはぐっと口をとじた。自信がない。信実という人の子どもだといった。だったらちがう。

だけど胸《むね》が、こんなにさわぐ。

その人は、冊子をわたすと、そうそうに座《ざ》を立った。すばやい足どりで、縁側《えんがわ》を遠ざかっていく。

いても立ってもいられずに、わたしは部屋を飛びだした。

「まって、こぬ人を。こぬ人をだよね？」

渡《わた》り廊下《ろうか》で追いつくと、その人はめいわくそうにふりむいた。

「人ちがいです」

「でも！」

すがりつこうとすると、追いかけてきた為氏《ためうじ》がとめた。

「もしおどの、よせ。母の客人だ。失礼のないように」

為氏はあいだに立つと、その人を見上げた。

「もしおどのは、兄君をさがしているのです。お心当たりはありませんか」

「兄君？　いいえ」

みじかく首をふり、いってしまう。

追いかけようとすると、為氏がとめた。

「はっきりちがうと、おっしゃられている」

「……そうだね」

確実《かくじつ》なしるしのようなものがあるわけじゃない。そうかなと思っただけ。ちがうといわれればそれまでだ。
その人が遠ざかると、胸《むね》のどきどきも急速にしずまっていった。

弟たちに見おくられて屋敷《やしき》を出た。本をとどけるため、通りを南にむかう。武者《むしゃ》がまた、うしろをついてくる。

わたしは口数がすくなく、為氏《ためうじ》はそんなわたしを案じている。

「だいじょうぶか。屋敷にもどりたいところだが、たのまれた使いをすませなくてはならない」

「いいよ。いっしょに行く。平気だよ。ちょっと、人ちがいしちゃっただけ。はずかしいなあ」

へらへらと笑ってみせるけど、わたしは打ちのめされていた。

会えばわかるという、変な自信があった。でもそれは、ただの思いこみだった。

たとえ、こぬ人をがいそうな場所がわかったとしても、いまはもう、見分けられる自信がない。

せっかく神さまに飛ばしてもらったのに、これではなんにもならない。凪《なぎ》さんにも、かるたのみんなにも、顔向けできない。

ふたりは、広い通りを歩いていた。両脇《りょうわき》には、手入れされた立派《りっぱ》な屋敷《やしき》や、建てられたばかりのきれいな屋敷もあったが、人が住んでいないらしく、くずれかけた建物や、火事のあと、そのままになっているところもある。そこには、粗末《そまつ》な小屋が建てられていたりする。京の都《みやこ》というと思いうかべる、はなやかでととのった感じとは、ちょっとちがう。

為氏《ためうじ》は、布包《ぬのづつ》みをしっかりかかえている。なかみは源氏物語《げんじものがたり》の十冊《さつ》だ。

そのうちに、人通りがふえてきて、家も建てこんできた。通りの両側に、板をのせた屋根の小さな家がならぶ。窓《まど》をたおすようにひらいて、それを台にして品物をならべている。

お店だ。果物《くだもの》や野菜、干《ほ》した魚にお米があるかと思うと、布やら竹かごやら、なにに使うのかわからない道具類なんかがならんでいる。たくさんの人が、店先をのぞきながら歩いている。

「四条町《しじょうまち》だ」

為氏の説明によると、町というのは、店があつまったところをいうらしい。

わたしたちが立ちどまったので、ついてきていた武者《むしゃ》もすこしはなれてとまる。

「へえ……」

心ひかれて、顔をあげると、為氏《ためうじ》がいった。

「すこし、のぞいていこう」

意外に思っていると、つづけていう。

「ここはどうだ。もしおどのに、興味《きょうみ》があるかどうか、わからないが」

足をとめたのは、扇屋《おうぎや》だった。台の上に、いくつも扇がならんでいる。

「これから夏にむかうから、紙の扇を新調するのもよいな」

木の骨《ほね》に紙をはったもの、うすい木の板を扇にしたもの、いろんな扇がある。色糸がついたきれいなのもある。

「ひろげてごらんになってくださいな」

店の人にすすめられて、ひろげてみると、絵があった。あざやかな緑の絵の具で松がえがかれている。砂浜《すなはま》に波がうちよせている。

「へえ、きれいだね。あ、こっちは桜《さくら》の花」

あれこれひらいていると、為氏がからかった。

「それほどめずらしいとは。天では、扇《おうぎ》は使わぬようだ」

「そうだねえ。ああ、でも読みふだのみんなはもってたよね。姫《ひめ》のふだは、たいてい扇やそでで顔をかくしてた。扇があれば、わたしもすこしは姫君っぽくなるかな」

「それでは、ひとつ買いもとめよう」

「え、いいの？」

買いもの、はじめてだ。思わず顔がほころぶ。為氏《ためうじ》はほっとしたように笑った。

「どれがいいだろうか。もしおどのには、かえるがはねているこれなど、いかがか」

「かえる？　あ、かわいいじゃん」

いっしょになって台をのぞきこむ。

こぬ人をのことは、どうしたらいいのかわからなくなった。でも、ここでの毎日は楽しい。

いろんなことができるようになって、定家《ていか》さんと話ができて、女房《にょうぼう》たちとも仲よくなれた。落ちこんだら、元気づけてくれる為氏がいる。

それを、うれしいと思ってもいいよね――。

川べりを鳥が飛ぶ絵の、すずしげな扇をひろげてみる。為氏が、あちらのはどうだと、手をのばす。

そのときだ。近くを歩いていた小男が、わたしたちにぶつかってきた。よろけて扇《おうぎ》の台にたおれそうになったわたしを、為氏《ためうじ》がささえてくれる。そのすきに、小男は為氏が反対の手にかかえた布包《ぬのづつ》みをむしりとった。

「おいっ」

数歩はなれていた、おつきの武者《むしゃ》が声をあげてかけつけ、小男のえりをつかもうとした。しかし、小男はすばしこくすりぬける。

小男がにげこんだのは、見上げるような大男のうしろだ。首がふとくて胴体《どうたい》もうでもふとい、ひげもじゃでいかつくて、見るからに荒《あ》らくれ者《もの》だ。年のいった武者を、じろりと見下ろす。

その背後《はいご》で、小男がさっそく包みをひらき、舌打《したう》ちをした。

「なんでえ。だいじにかかえてるから、よっぽど値《ね》のはるものかと思ったら」

本をばらばらとふる。為氏がさけんだ。

「やめろ。たいせつなものだ」

年のいった武者が、声をあげて大男に打ちかかっていく。しかし、あっけなく刀を落とされてしまった。武者《むしゃ》は大男を見上げ、あとずさりする。

「どうした、もう一度、かかってきてみろ」

大男が大声でおどすと、年のいった武者はちぢみあがった。そして、くるりと背《せ》をむけ、いちもくさんににげてしまったのだ。

ぼうぜんと見おくったあと、わたしはこわくなって、為氏《ためうじ》の衣《ころも》をつかんだ。

「あきらめよう。にげよう」

だいじな本だけど、命にはかえられない。

為氏はくちびるをかみ、つぶやいた。

「書物の、ほんとうの価値《かち》も知らない者《もの》が……」

つかんだうでは、ふるえていた。為氏の顔を見て、ふるえているのはこわいからじゃないと気づく。

荒《あ》らくれ者《もの》たちは、げらげら笑っている。

「売ればいくらかになるだろう」

それをきいて、為氏は大男に飛びかかった。大男はまっていたように、為氏をなぐった。

身がすくむとはこういうことかと思った。声も出なくてただふるえる。為氏《ためうじ》はすわりこみ、立てないでいる。

足が動かない。

（どうしよう、どうしよう）

そこに、威厳《いげん》のある声がひびきわたった。

「なにごとだ。京の無法は六波羅《ろくはら》がゆるさぬ」

背《せ》の高い武者《むしゃ》があらわれた。馬からおり、刀に手をかけ、あたりをにらみつける。

すると、首のふとい大男が、さっと腰《こし》を低くした。へらへら笑って頭をさげる。

「これは、六波羅のおかた。いや、なに、お手をわずらわせるようなことじゃありませんよ。ちょっとした手ちがいで。――おい」

よばれた小男が、あわてて本と包みをかえしてよこした。

武者は、為氏を助けおこした。

「だいじないか、為氏」

そういうので、びっくりする。

あとからきけば、さっそうとあらわれたこの人こそ、鎌倉《かまくら》からきた為氏の叔父《おじ》、泰《やす》綱《つな》さんだった。京見物に出て、たまたま通りがかったのだそうだ。

背《せ》が高くて強そうで、堂々《どうどう》として、腰《こし》には大きな刀。そのすがたを見ただけで、荒《あ》らくれ者《もの》たちはおとなしくなった。

泰綱《やすつな》さんは、荒らくれ者たち、それに、遠巻《とおま》きに見ているとおりすがりの人にむけ、声をあげた。

「道理にはずれたことがあれば、六波羅《ろくはら》に訴《うった》えでよ。悪人は鼻をそぎ耳をそぎ罰《ばっ》しよう。盗賊《とうぞく》ならばかならず召《め》しとり、首をはねよう。六波羅は不正を見すごさぬぞ」

声は朗々《ろうろう》とひびいたのだった。

八

あたらしい物語の絵

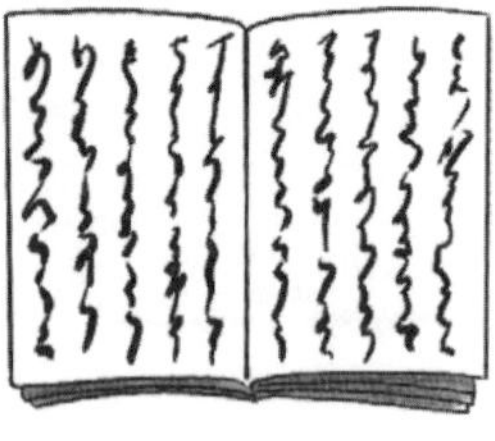

それから、何日かたった、定家《ていか》さんの京極《きょうごく》の屋敷《やしき》――。

為氏《ためうじ》はあざののこった顔で、むすっとしたまま日記を写している。はれはおさまったけど、まだ痛《いた》そうだ。

あの日はあれから、泰綱《やすつな》さんが屋敷までおくってくれた。年のいった武者《むしゃ》が、にげてしまったからだ。

為氏が遠慮《えんりょ》しても、泰綱さんはとりあわず、笑っていった。

「あるじを見捨《みす》ててにげるとは、京の武者は腰《こし》ぬけよ。鎌倉《かまくら》にはそのような者はおらぬぞ。京極の屋敷に心強い武者をおくるよう、父に話しておこう」

それから、道を行くあいだずっと、為氏《ためうじ》を元気づけようと、あかるく話しかけてくれた。鎌倉《かまくら》のこと、京に来ておどろいたこと、食べためずらしいもの。とどけるはずだった源氏《げんじ》物語《ものがたり》を、その顔で六波羅《ろくはら》に行くのはいやだろうからと、その場でうけとってくれた。

声もいいし、見た目もかっこいい。ほがらかで、たのもしい。為氏が会うのを楽しみにしていたのがわかる。

でも、為氏はずっとどんよりしていた。なぐられただけでもショックなところ、それを、あこがれてる叔父《おじ》さんに見られたら、そりゃ落ちこむよね。たとえその人が助けてくれたのだとしても。

どうしたらいいかと思ったあのときに、かけつけてくれてうれしかった。とても助かった。わたしも心からそう思う。

はらはら見ていた通りすがりの人たちも、泰綱《やすつな》さんのすがたと言葉にほっとしていた。本は無事だったし、わるい奴《やつ》ふたりは、こそこそとにげていった。

泰綱さんのおかげだ。そうなんだけど。

道を歩きながら、為氏のとなりで、わたしも顔がひきつっていた。こぬ人をのことで落ちこんでいたのなんて、ふっとんでしまった。

鼻をそぎ、耳をそぎ、首をはねる……？

おどしでもなんでもなく、ほんとうにそうするのだろう。平然といえるほど、それがあたりまえなんだ。

墨《すみ》をすっている最中にまた思いだし、ぞっとうでをこすった。

為氏《ためうじ》は、定家《ていか》さんの日記を写しながら、ぶつぶついっている。

「――わたしが若《わか》いころは、あちこちで寺の堂塔《どうとう》がさかんにつくられていた。年とったいまでは、あたらしく造営《ぞうえい》されたという話はきかず、焼けてしまったという話ばかりが、きこえてくる」

そんなふうに日記に書いてあるんだろう。背《せ》をまるめて書きおえ、筆をおいてひじをついた。いやになった顔で、日記を広げる。

目にとまったところを、読みあげた。


宮城《きゅうじょう》の衰微滅亡《すいびめつぼう》、年を逐《お》い日を逐い、形をあらわす。悲しきかな、悲しきかな。

内裏《だいり》は焼けたまま、年を追い日を追うごとに荒《あ》れはてていく。悲しいことである。

「おじいさまが書かれたとおりだ。京の者たちは、こまりごとがあると朝廷《ちょうてい》の検非違《けびい》使《し》ではなく、六波羅《ろくはら》に訴《うった》える。朝廷の衰退《すいたい》はあきらかで、栄えるのは武家《ぶけ》――」

ぶつぶついったと思うと、ふいに声をあげた。

「やはり刀だ。儀式《ぎしき》のためのかざりでなく、叔父上《おじうえ》のような大ぶりの。刀をもたぬから、盗人《ぬすびと》に目をつけられてしまったのだ」

「えっ、なに？」

とつぜんの大きな声に、こっちもびっくりする。

「前まえから思っていた。歌の道はだいじだ。しかし、貴族《きぞく》といっても武家とつながらぬ家はさびれていく。いままでどおりでは、いずれほろんでしまうのだ」

だけど、為氏《ためうじ》が刀をもっても、泰綱《やすつな》さんみたいな効果《こうか》はないと思う。ほら、にげちゃった武者《むしゃ》だって、もってたよ。

それになにより、こわい。身近な人がもつと思うとぞっとする。

為氏はわたしの不安など、きいちゃいなかった。

「それには銭《ぜに》がいる。……そうだ、古今和歌集《こきんわかしゅう》はどうだ。定家卿《ていかきょう》筆写の古今和歌集だ。価値《かち》のわかる者になら、高く売れる」

「定家《ていか》さんの本を売るって、それ、泥棒《どろぼう》でしょ」

あわてていうと、為氏《ためうじ》はきまじめに首をふった。

「おじいさまの本を売ったりせぬ。たしか文庫《ふみくら》に、おじいさまが昔、おさないわたしのために写してくれた古今和歌集《こきんわかしゅう》があったはず。あれならわたしのものだ」

「え、ちょっと」

縁側《えんがわ》に飛びだした為氏を追いかけて、わたしも部屋を出た。

するとむこうから、はじめて見る女の子が、すたすたとやってきた。文庫に入る渡《わた》り廊下《ろうか》の前で、ばったりとむきあう。

まっすぐな黒髪《くろかみ》が、つやつやと背中《せなか》に広がっている。ひたいが広くて、ひとえのまぶた、黒目がちのひとみでじっと見る。わたしや為氏とおなじくらいの年だけど、落ちついたようすが、ちょっとおとなっぽい感じだ。

「ごぶさたいたしております。為氏さま」

女の子は優雅《ゆうが》にあいさつした。為氏は、いそいで行きたそうだったけど、律儀《りちぎ》に足をとめて、ふたりをひきあわせてくれた。

「しばらくだった、薫《かおる》どの。こちらは、もしおどの」

つづいて、女の子をしめして、わたしにいう。

「こちらは薫どの。薫どののお父君は、おじいさまから歌の教えをうけている。親類でもあるので、小さなころからのなじみだ」

「もしおさま、はじめまして」

「はじめまして、もしおです。よろしく」

わたしのすがたに、薫は目をかがやかせた。

「すてきです、もしおさま。男の子のお召《め》しものが、きりりとよくお似合《にあ》い」

動きやすいかっこうがすっかり気に入り、あれからわたしはずっと水干《すいかん》すがたなのだ。

「ありがとう。定家《ていか》さんの弟子《でし》をしてるんだ。あなたも、歌を習いに？」

薫はほほえみ、首をふった。

「いいえ。あたらしい物語をさがしに」

「物語？」

為氏《ためうじ》は、ふたりをおいてさっさと渡《わた》り廊下《ろうか》をわたる。

「では、わたしはこれで。文庫《ふみくら》にむかわなければならぬ」

「あら、わたしも文庫に」

薫《かおる》があとを追う。わたしもつづいた。文庫のとびらをあけ、為氏《ためうじ》がふりかえった。

「薫どのの知らない物語など、文庫にあるだろうか。おじいさまがあつめられた物語は、ぜんぶ読んだのだろう？　このごろ、おじいさまはおいそがしいから、物語のあたらしい写本は書かれていないぞ」

「教えていただいた物語は、ぜんぶ読んだけれど」

しずかでうす暗い文庫に入ると、薫は背《せ》の高い棚《たな》を見まわした。

「どこかに、まだ読んだことのない、だれも気づいていない物語が、ありはしないかしら――」

つられて、わたしも棚を見上げる。ひとつしかない窓《まど》からさしこむ光に、ほこりがちらちらとおどる。

本や巻物《まきもの》がきれいにつまれた棚や、木箱がならんでいる棚がある。きれいにととのった棚ばかりじゃなく、整理されない紙の束《たば》が放りこまれているかごや、床《ゆか》につまれた本もある。

「ここで、姉さまたちが知らない物語を見つけたい。文庫《ふみくら》のなかをさがしてもよいと、定家《ていか》さまには、おゆるしをいただいてきました」

為氏《ためうじ》はそれならいいがと、棚《たな》を指さした。

「物語は前にあの棚にまとめた。それからまだ整理されていないものは、あのあたりにある。わたしは、ほかにさがしものがあるから――」

「ええ。ひとりでだいじょうぶ」

薫《かおる》はさっそく棚にむかい、為氏は為氏で、さっさと反対の棚にむきなおった。

そこには、だいじな本を入れる箱がある。そうだった。古今和歌集《こきんわかしゅう》を売るとかなんとか。

わたしは、為氏に声をかけた。

「やめたほうがいいよ。定家さんが為氏のために書いてくれたのに」

背《せ》をむけたまま、為氏はいった。

「ひきかえにしてでも、手に入れる。あのとき、わたしだけでなく、もしおどのも危《き》険《けん》にさらした」

それきり、なにをいっても、返事をしてくれない。

わたしはため息をついて、薫《かおる》のほうを見た。薫は棚《たな》につんであった本をひらいている。それを見て思う。

「物語の本かあ……」

いままで、漢字ばっかりの定家《ていか》さんの日記とか、歌を学ぶための本とか、そんなのしか見せてもらってないけど、物語なら、それよりずっとおもしろそうだ。

興味《きょうみ》がわいてきて、たずねる。

「どんなのをさがすの」

「え？」

声をかけたら、薫はまごついた。ひらいた本を、早くも読みふけっていたようだ。わたしは棚に近づいた。

「手伝《てつだ》いたいけど、よくわからないんだ。物語って、どんな本があるの？」

薫はためらうように、首をかしげた。

「ええと――。物語といえば、まずは源氏《げんじ》……」

はじめはつまったけど、ひとつ出ると、するする出てきた。

「それから夜《よる》の寝覚《ねざめ》、みつの浜松《はままつ》、宇津保物語《うつほものがたり》、狭衣《さごろも》物語――」

だんだん声がはっきりとしてくる。

「今《いま》とりかへ《（え）》ばや、住吉物語《すみよしものがたり》、伊勢《いせ》物語、大和《やまと》物語——」

「まった、まった。それ、ぜんぶ読んだの？」

薫《かおる》は、いいすぎたかなという顔で、ひかえめにうなずく。

「ええ……」

「ぜんぶここにあるんだよね。わたしにも読めるかな。源氏《げんじ》物語は、この前ちょっとひらいてみたんだけど、まだむりみたいだったんだ」

ピントが合わない感じで、意味がつかめなかった。ずいぶん読めるようになったけれど、読めない本もある。まだそのときではないんだろうと思って、そのまま本をとじたのだった。

薫はほおに指をあてた。

「はじめてで源氏はむずかしいものね。それではええと、竹取《たけとり》物語は読んだ？」

問われて、首をふる。たしか、かぐや姫《ひめ》のお話だよね。

「では、竹取物語からはじめてみては？『物語のいできはじめの親』といわれているくらい、長く伝わって有名なお話だから、まずこれははずせない。あとは、落窪《おちくぼ》物語あたりも、おもしろいかも。姫君《ひめぎみ》が義理《ぎり》の母君にいじめられるのだけど、恋人《こいびと》の少《しょう》将《しょう》と、たよりになる侍女《じじょ》の阿漕《あこぎ》がいて——。ああ、これ以上いっては、いけないわね。そうそう、わたしのおすすめはね、なんといっても、今《いま》とりかへ《(え)》ばや。これは、どきどきと心ときめくお話で——」

薫《かおる》はふいに、口をおさえた。

「……わたし、おしゃべりしすぎていない？」

わたしは思いきり首をふった。

「ないない。で？　どきどきってどんなの？」

「あのね、さる権大納言《ごんだいなごん》のふたりのお子、男君と女君のお話なの。男君は奥《おく》ゆかしい性格《せいかく》で、女君ははつらつとしたかただったから、父君は『とりかえばや』とおぼしめして——」

「うんうん。ふたりが入れかわっていればよかったのに、って思ったんだね」

「ふたりも、そのほうが自分らしいと思って、男君は女らしく、女君は男らしく育ったの。それで、女君はそのまま元服《げんぷく》して、男のすがたで朝廷《ちょうてい》に出仕することになって。美しくてりりしくて、宮中のだれもがほめたたえて、帝《みかど》のおぼえもめでたくて、どんどん出世していくの」

「へえ……」

きらきらした女君が、目にうかぶようだ。夢中《むちゅう》で話している薫《かおる》のひとみも、きらきらしている。

「おもしろそう。読んでみるよ」

「ぜひ。もしおさまは、その女君みたいよ」

「男の子のかっこうだから？」

わたしと薫は、顔を見合わせくすくす笑った。

棚《たな》の奥《おく》の見えないところから、為氏《ためうじ》の声がきこえてきた。

「ない……ない……。どこだ」

この棚にある本は、姉も知っているものばかりだからと、薫はほかの棚をざっと見た。それから、床《ゆか》につまれた本を見てみる。

暗くて読みづらいので、ふたりでそのあたりにあった本をもち、文庫《ふみくら》を出た。

もとの部屋にもどりながら、たずねる。

「めずらしい物語をさがすのは、お姉さんと読むため？」

薫《かおる》は首をふった。

「物語の絵をかいて、姉さまに見せるの」

「へえ、絵を」

扇《おうぎ》の絵は見たけれど、物語の場面をえがいたりもするんだ。お姉さんと楽しむんだから、資料館《しりょうかん》に来た小学生が、にぎやかに写生していくときみたいな感じかな。なんて、のんきに思っていたら、薫はもうちょっと真剣《しんけん》だった。

「姉さまたちが見たことのない物語を、わたしが絵にして、おどろかせたいの。父さまにも見せたい。わたしだって、兄さまたちに負けないって」

お姉さんたちをおどろかせたいというよりは、父をはじめ、みんなにみとめてもらいたいんだ。

なんとなく、わたしまで力が入る。

「物語の絵ってどんな？　というか、物語の絵っていうのがあるって、いま知ったんだけど、それ、絵本みたいなの？」

薫はふしぎそうに見返し、首をかしげた。

「もしおさまは、絵巻《えまき》を見たことがない？」

「うん」

こっくりうなずくと、薫《かおる》は為氏《ためうじ》の机《つくえ》にあった筆をとった。ひろげたままにしてあった紙に、筆を走らせる。

墨《すみ》の線がすっとのび、高い山があらわれた。滝《たき》が流れおちる。けわしい道を、牛に乗った人が行く。

薫は紙を動かすと、いまかいた絵の横に、雲のような、水の流れのような線をさらさらとかいた。つづけて、山奥《やまおく》の家をかく。そこをおとずれる牛に乗った人――。

わたしは気づいて声をあげた。

「お話が進んだんだ」

雲のような線で、場面をくぎる。紙の左にむかって話が進んでいく。

「わあ、薫、絵が上手《じょうず》」

さらさらっとかかれた線が、みるみる絵になっていった。白い紙にべつの世界があらわれたみたい。

筆の動かしかたにむだがない。手つきや顔つきも落ちついて、さまになってる。

こんな感じ、前にも見た。

信夫《のぶお》さんが、こんなふうに筆を動かしていた。退職《たいしょく》して、日本画を学びはじめたころだ。それを見た千代子《ちよこ》さんが、堂《どう》に入《い》っているわねとほめた。すると信夫さんは、若《わか》いころかいていたんだよとこたえた。

あのとき、こぬ人をのふだも、話をきいていて。そして、信夫さんは……。

あれ？　なんだったろう。なにか思いだした気がするんだけど。

「ほら。こうしてね」

薫《かおる》の声にはっとする。近づいたと思ったものが、遠ざかる。薫は次の紙をとって、横においた。

「こうして、紙をつなげて、巻物《まきもの》にする」

「おお、ほんとうだ。巻物だ」

「よくしたしまれている物語を、絵巻に仕立てるのがはやっているの。定家《ていか》さまの文《ふみ》庫《くら》にもあるのではないかしら」

「巻物はひらいてみたことがなかった。それにしてもすごいよ、薫」

すごいすごいといっていたら、頭の上から声がした。

「薫どのの家は、絵の家なのだ」

為氏《ためうじ》だ。絵をのぞきこみ、自分が写した文字の横にかかれているのを見て、顔をしかめる。

かかれた絵には、やっぱり感心したみたいで、こういった。

「祖父君《そふぎみ》は有名な宮廷《きゅうてい》画家で、寺院の障子絵《しょうじえ》などをえがかれた。お父君は、あの隠《お》岐《き》の院《いん》が、鎌倉《かまくら》とのいくさにやぶれ隠岐に流されるとき、形見にとご自分の絵をおかかせになったほどの、似《に》せ絵《え》の名手だ。叔母君《おばぎみ》や、兄君たちも——」

為氏はなにかに気づいて、口ごもる。

「なに？」

「そうだ、叔母君はとくにすばらしい。二年前、院の御所《ごしょ》でおこなわれた貝覆《かいおおい》（貝殻《かいがら》の左右の組み合わせをあててとる遊び）の賞品《しょうひん》に、叔母君の絵が出されたのだ」

急に早口になる。

薫《かおる》が話をうけてつづけた。

「あのときの叔母さまの絵は、更級日記《さらしなにっき》だった。みなさまにみごとといわれ、お父さまもよろこんでいらっしゃった。兄さまたちは、下絵をまかされるほど、みとめられているし、末の兄さまなんて、絵をはじめたのは、わたしといっしょなのに、もう名を知られはじめてる」

ひと息にいうと、薫《かおる》は胸《むね》をしずめた。

「叔母《おば》さまや兄さまたちにくらべたら、わたしの絵はまだまだだけど、物語が好きな気持ちは負けないつもり。いまに、姉さまたちを夢中《むちゅう》にさせる絵巻《えまき》をかくの」

しずかにのべる決意に、感動する。

「薫、かっこいい。応援《おうえん》するよ」

手をとって、ぎゅっとにぎると、薫はびっくりして、何度もまばたきした。

「え……あの……」

為氏《ためうじ》が、自分はわかっているという顔でいった。

「天の作法だ。もしおどのは、天よりの客人なのだ」

「天……？」

薫は、ますますわからない顔だ。

「わたしは出かけるが、あとは好きにしてくれ」

為氏はそういって、はなれていく。衣《ころも》で本をかくすようにしている。

わたしは、薫の手をはなし、追いかけた。

「ちょっと、為氏《ためうじ》。ほんとうに売るの？　やめたほうがいいって」

為氏はふりむかず、縁側《えんがわ》を走りさった。

九

小倉山《おぐらやま》のふもとへ

薫《かおる》が、絵の道具をもってやってきた。

お姉さんたちには、ないしょでかきたいと、定家《ていか》さんの屋敷《やしき》にとまりこんでいる。

わたしは薫と毎晩《まいばん》おしゃべりした。いろんな物語をきかせてもらった。それがとっても楽しくて、ついつい夜更《よふか》ししてしまう。

薫が読んだことのない物語は、文庫《ふみくら》の紙束が入ったかごのなかで見つけた。

ほとんどが、なんでもない連絡《れんらく》の手紙や、歌合《うたあわせ》のメモ書き、それに写しまちがえなんかだったけど、かごの底から、糸でとめられた冊子《さっし》が出てきたのだ。

松浦宮物語《まつらのみやものがたり》という題字は、定家さんの字だ。

若《わか》いころの字じゃないかと、為氏《ためうじ》はいう。はじめて見る冊子《さっし》だともいっていた。

その為氏はといえば、刀を手にしてほくほくしている。その上、乗馬の練習をはじめた。前から乗れるそうだが、毎日庭を歩かせたり、乗って出かけたり。御所《ごしょ》へ行くのも馬で行く。泰綱《やすつな》さんは、馬でさっそうとあらわれたっけね、そういえば。

このところ、定家《ていか》さんの手伝《てつだ》いはあまりない。たのまれた障子《しょうじ》の歌をえらぶのは、だいたいおわったようだ。

庭はあいかわらず花ざかりだった。ぼたんが大きな花をつけ、なしやりんごもさいている。柳《やなぎ》の枝《えだ》は緑にのび、初夏の庭になっていた。

ここに来たのは春のはじめ、季節がめぐるほど時がたった。

凪《なぎ》さんのことは、ちくちくと胸《むね》をさす。だけど、薫《かおる》が来て、ここの暮《く》らしがますますかけがえのないものになった。手ばなしたくない。

そう思うのは、いけないことだと思うんだけど。

じっと考えこんでいた薫が、ふっと思いついて、筆をとる。

髪《かみ》の長い美しい人が、琴《こと》をかなでるうしろすがたが、あらわれてくる。

松浦宮物語《まつらのみやものがたり》の一場面だ。

薫《かおる》が話してきかせてくれて、わたしも読んだ。波瀾万丈《はらんばんじょう》の物語で、わりとさくさくと読めた。

主人公は、橘氏忠《たちばなのうじただ》という男の子。七歳《さい》で漢文をつくった秀才《しゅうさい》で、十二歳で宮中にあがり、皇女《こうじょ》に恋《こい》をするんだけど、皇女は帝《みかど》の后《きさき》になってしまう。失意の氏忠は遣唐使《けんとうし》になって、唐――いまの中国にわたる。そこでも才能《さいのう》を発揮《はっき》して、皇帝《こうてい》に気に入られ、まわりからやっかまれる。

そこで、ふしぎな老人に出会い、おまえは日本に琴《こと》を伝える運命だといわれる。とある公主《こうしゅ》（皇帝の娘《むすめ》）のもとへ行き、琴をさずかるようにと。

その公主と恋仲になったりするんだけど、不幸なことに公主は死んでしまい、そして戦乱《せんらん》が起こる。氏忠は将軍《しょうぐん》になって、反乱軍と戦う――。

ふしぎな場面もたくさんある。

公主が白い扇《おうぎ》であおぐと、琴が空を飛び、日本にひとつ飛びしたり、将軍になった氏忠が、九人に分身して敵《てき》と戦ったり。

ありえない。でも絵になりそう。

薫とふたりで笑っていると、為氏《ためうじ》がまた刀をとりあげた。ちょっとぬいてみようとしている。

「よそでやりなよ」

わたしが抗議《こうぎ》すると、為氏《ためうじ》は口をとがらせた。

「そなたたちこそ、おじいさまが書いたものを勝手に絵になどして、ご気分を害されるぞ」

「文庫《ふみくら》のなかを、なんでも見ていいって、定家《ていか》さんは薫《かおる》にゆるしてくれたんだよ」

わたしはいいかえしたけど、薫はちょっと心配そうになった。薫のまわりにはもう何枚《なんまい》も、ためしにかいた絵がひろげられている。

「かごのいちばん下に入れて、だれにも見せないつもりだったのかも知れない」

「でも、薫はこれをかきたいんでしょう？」

「うん。美しい姫君《ひめぎみ》もかけるし、ふしぎな場面もある。戦乱《せんらん》が起こる物語なんて、読んだことがないから、姉さまたちもきっと知らない」

「だったら、きちんとおねがいに行こう」

「でも……もしも、だめといわれたら……」

そういっていると、縁側《えんがわ》から特徴《とくちょう》のある足音がきこえてきた。定家さんだ。足をわるくしているのですぐわかる。

　女房《にょうぼう》にささえられてやってくると、機嫌《きげん》のよさそうな声でいった。

「もしおが来てから、にぎやかなことだな」

「おじいさま。ご用でしたら、およびくだされればまいります」

　為氏《ためうじ》がいそいで立ちあがる。

　薫《かおる》はまよっていた。わたしをちらりと見るので、うなずいてみせる。薫は思いきって縁側《えんがわ》に出て、頭をさげた。

「定家《ていか》さま。この物語をおかしくださいませ。絵をかきたいのです」

　さしだされた冊子《さっし》を手にとり、定家さんは目をまるくした。

「どこからこんなものが出てきたのか」

　そして、笑いながら、そのまま冊子をかえしてよこした。

「好きにしなさい。すっかりわすれていたものだ。ひらいて見たりせずにおこう。読めばきっと穴《あな》をほってうめたくなるからのう」

　薫とふたり、よかったねといいあっていると、定家さんが為氏にいった。

「支度《したく》をせよ。嵯峨《さが》に行くぞ」

嵯峨《さが》といえば、別邸《べってい》があると為氏《ためうじ》がいっていたところだ。定家《ていか》さんが百人一首をえらんだといわれている場所、小倉山荘《おぐらさんそう》かも知れない、あれだ。

定家さんは、わたしにも声をかけた。

「もしおも、行くかな？」

いっしゅん、返事につまった。

百人一首がつくられた場所――。そうだ。そこへ行けば、こぬ人をに会えるかもしれない。

さがさなくちゃ。でも。こぬ人をに会いたいのかどうか、もうわからない。

為氏が、気づかうようにいった。

「もしおどのは、ここにのこっても……」

「ううん」

あきらめたわけじゃないよ。手がかりをもとめて、ちゃんと動くよ。そう自分にいいわけする。

「お供《とも》します、定家さん」

薫《かおる》も行きたいといい、みんなで行くことになった。

嵯峨《さが》は、京から半日くらいでつく。

定家《ていか》さんとはじめてあった日吉社《ひえしゃ》は、京の北東、比叡山《ひえいざん》にあった。嵯峨は京の西だ。今度は、比叡山ほどけわしい山ではない。

それに今回は、定家さんの牛車《ぎっしゃ》に乗せてもらっている。薫《かおる》もいっしょだ。つめれば四人乗れるそうだけど、為氏《ためうじ》は例の刀を腰《こし》に、うれしそうに馬で行く。

嵯峨に行くのは、為氏のもうひとりのおじいさん、蓮生《れんしょう》さんに、えらんだ歌を見せるためだ。屋敷《やしき》は、定家さんの別邸《べってい》のすぐとなりにある。

桂川《かつらがわ》の上流にむかうと、川を見下ろしている、こんもりとした山が見えてきた。あれが小倉山《おぐらやま》。新緑がとってもきれいだ。

「やっぱり、小倉山荘《さんそう》だね。定家さんが百人一首をつくったところ」

そういうと、薫がききかえした。

「百人一首？　はじめてききます、もしおさま」

「かるたのことも、やっぱり知らない？」

薫は知らないと首をふる。凪《なぎ》さんが、百人一首かるたは江戸《えど》時代からといっていたとおり、この時代にかるたはない。

「このくらいのカードに、歌がかいてあって、上《かみ》の句《く》を読みあげて、下《しも》の句をとるんだ」

指でわくをつくると、薫《かおる》は首をかしげた。

「ずいぶん小さな……それは紙？」

「うん。かんたんには折れないくらい厚《あつ》い紙。下の句だけが書いてあるふだと、絵のふだとあって」

薫はよくわからないながらも、絵ときいて身を乗りだす。

「小さな色紙《しきし》のようなものかしら。歌と対《つい》になるなら、絵は歌仙絵《かせんえ》？」

「かせんえ？」

「歌を詠《よ》んだかたの似《に》せ絵《え》よ。おすがたをそっくりにかくの。歌集の絵巻《えまき》には、歌と歌人のすがたが、順にえがかれているのよ」

わたしは目をまるくした。昔から、歌人の絵と歌を対にしていたんだ。

牛車《ぎっしゃ》ががたんと強くゆれた。坂道をのぼっている。ゆれがおさまるまで、ふたりともだまる。

しずかなゆれにもどったとき、定家《ていか》さんが特別な秘密《ひみつ》を話すようにいった。

「もしおよ。蓮生《れんしょう》どのにこわれてえらんだ、百の歌人の百の歌。わが歌は、もしおの歌にしたぞ」

こぬ人をまつほの浦《うら》の夕なぎに　やくやもしおの身もこがれつつ——のことだ。

わかっていても、やっぱりうれしい。

まだ呼《よ》び名《な》がつかない、百の歌のあつまり。いまから、蓮生さんのもとにとどける、障子《しょうじ》にはるための歌。これが、のちに小倉山荘色紙和歌《おぐらさんそうしきしわか》とよばれ、さらに百人一首といわれるようになる。

百人一首誕生《たんじょう》の瞬間《しゅんかん》に、立ち会っている。かるたのみんなに、教えてあげたい。

それなのに、うれしいのと同時に心もとなくなる。誕生の地に近づいている。もしもそこに、こぬ人をがいたら——。

わたしは為氏《ためうじ》をさがして、牛車《ぎっしゃ》の外を見た。為氏は馬上で胸《むね》をはっていた。思ったよりさまになっている。

わたしに気づいて、笑《え》みを見せる。それを見たら、胸がすこしかるくなった。わたしは牛車のなかに目をもどし、定家さんにあかるく声をかけた。

「式子内親王《しょくしないしんのう》の歌は、『玉《たま》の緒《お》よ絶《た》えなば絶えねながらえば　忍《しの》ぶることのよわりもぞする』を、ちゃんとえらんでくれました？」

定家《ていか》さんがおどろく。

「なぜそれを知っておる」

「定家さんの、こぬ人をまつほの浦《うら》の歌と、式子内親王の玉の緒よの歌で、架空《かくう》の恋人《こいびと》のやりとりを想像《そうぞう》できるようになってるから」

それぞれの歌ができたときは、関係のない歌だったんだろう。だけど、百首そろえたとき、定家さんは式子内親王の歌にこたえる歌として、自分の歌をえらんだんじゃないだろうか。

そう思ったのは、松浦宮物語《まつらのみやものがたり》を読んだからだ。定家さんはロマンチックな恋のお話が好き。そして、高貴《こうき》で美しく、歌の才能《さいのう》のある式子内親王は、だれもがあこがれるヒロインだ。

式子内親王は男性《だんせい》の立場で、玉の緒よの歌をつくった。だから、定家さんは女性の立場でうたったこぬ人をの歌を、対《つい》になぞらえてえらんだ。

「どうであるかな。歌は受け手がそれぞれに楽しんでよいものぞ」

定家《ていか》さんは、満足そうに笑った。

嵯峨《さが》の別邸《べってい》は、京極《きょうごく》の屋敷《やしき》よりは小ぶり。でもじゅうぶん立派《りっぱ》なお屋敷だった。建物がいくつもあり、庭もある。

そのあたりは、貴族《きぞく》の別荘地《べっそうち》のようで、おなじような屋敷がいくつもあった。立派なお寺もある。山が近く、杉木立《すぎこだち》や竹やぶがあいだをへだてていて、町中よりひろびろとしている。

蓮生《れんしょう》さんの屋敷は、北側のおとなりにあった。そこを、すぐにたずねたのではなかった。

貴族の日々はゆったりしている。到着《とうちゃく》してすぐにおしかけたりしない。何日かしてまず手紙を出してご機嫌《きげん》をうかがい、何度かやりとりして、それからだ。

定家さんはそのあいだ、さきに来ていた妻《つま》や娘《むすめ》たちと、寺へ出かけ、いなかの景色や食べものを楽しみ、ゆっくりと静養した。

わたしたちも、見晴らしのいいところまでのぼってみたり、川で遊んだり、別邸の管理をしている人に場所を教えてもらって、山菜や魚をとったりした。

定家《ていか》さんは、えらんだ歌を、色紙《しきし》に書いていた。縦《たて》十八センチくらいで、横がそれよりすこしせまい長方形。障子《しょうじ》にはる色紙だ。

ぜんぶの歌を書くのではなくて、何枚《なんまい》かこんな感じという見本をつくりたいという。本番の清書は、蓮生《れんしょう》さんが字の上手《じょうず》な人にたのむことになっていた。

定家さんの字は、ちょっと独特《どくとく》だ。つづけ文字が読めるようになってみると、定家さんの字は、上手な字とは、ちょっとちがうとわかってきた。

ぼったりと厚《あつ》いところや、まるっこいところがある。ひと文字ずつ読みやすい。わたしは好きだけど、美しいとは、きっといわれない。

為氏《ためうじ》は、定家さんとよく似《に》た字を書く。似るようにまねをして書いているんだって。刀を手にうれしがっているけど、為氏は武家《ぶけ》になりたいわけじゃない。いずれ、歌の家をつぐつもりだ。それは定家さんがつくってきたものを守っていくこと。字の形をまねするのも、そのひとつだ。

ここでも、遊んでいるばかりでなく、写本のつづきを書く時間はしっかりとっている。

薫《かおる》はもちろん、絵をかいている。

わたしは、為氏《ためうじ》がもってきた定家《ていか》さんの日記を読んでいた。むずかしいから、わかるところだけ、ひろい読みだ。

「へえ。宮中で、お后《きさき》さまたちも、絵巻《えまき》を楽しんでるって書いてあるね。源氏《げんじ》、狭《さ》衣《ごろも》、夜《よる》の寝覚《ねざ》め。薫《かおる》がいってたののほかにも、たくさん物語があるんだねえ」

「大きなばけものが、火をともして門前を通っていったって――なにこれ」

「ちょっと。貴族《きぞく》の召使《めしつか》いが泥棒《どろぼう》してつかまって、それを主人がわいろで助けだした、って書いてあるんだけど」

「父の家に強盗《ごうとう》に入った息子が、父に切られたとか。路上で身ぐるみはがされたとか。となりの家に盗賊《とうぞく》が入っても、だれも助けに行かないとか。ひどいなあ」

為氏がたまりかねて、筆をおいた。

「しずかに読めぬのか」

「ごめん」

素直《すなお》にあやまり、また日記にむかう。

「――うわっ、路上で死んだ人がころがってて、それがにおってくる？……うわぁ」

ついついつぶやくと、薫が顔をあげた。

「もしおさまは見たことはないの？　そういうものを」

そんなにめずらしいことでもない、という感じでいう。

「ないよ、さすがに」

といったけれど、四条町《しじょうまち》を通ったとき、粗末《そまつ》な家のかたわらに、すわりこんでるやせた子を見た。きれいな身なりの人もいたけど、ぼろぼろでまっ黒の衣《ころも》の人もいた。

「定家《ていか》さまもお心をいためて、日記にお書きになったんでしょうね。食べものがなかったり、病でたおれたり。疫病《えきびょう》もあるし」

「疫病？　うつる病気？」

「疱瘡《ほうそう》にかかると、熱が出て、ぶつぶつが出てね。こんなふう」

薫《かおる》は下書きの紙のはしに、子どもの顔をかいて、点をたくさんつけた。顔じゅう、できものだらけ、こんなになるのか。

「ひとりかかると、身近な人にどんどんうつってね。死んでしまう人もたくさんいる。みんながおそれる病気なの」

為氏《ためうじ》が口をはさむ。

「わたしも子どものころかかった。みなからはなされ、屋敷《やしき》の奥《おく》に、ひとりねかされていた。疱瘡《ほうそう》の者がいるときくと、客も来ない」

「だいじょうぶだったの？」

「かるくすんだからな」

「見て。かけた」

薫《かおる》が絵を見せてくれた。

松浦宮物語《まつらのみやものがたり》の主人公氏忠《うじただ》が、ふしぎな老人に出会った場面のようだ。長いひげをはやした仙人《せんにん》みたいな老人の、あやしげな感じが楽しい。

「色がつくといいのにね」

絵の具はあっても、高価《こうか》だから、薫が自由に使うことはできない。

「お父さまにいいといっていただけるように、がんばる」

薫はにっこりした。


十日ほどして、蓮生《れんしょう》さんからおさそいがあった。庭の藤《ふじ》がみごとなので、おいでくださいと。

定家《ていか》さんは、おとなりまで輿《こし》に乗った。わたしたちもついていった。

蓮生《れんしょう》さんの屋敷《やしき》は、定家《ていか》さんの別邸《べってい》より、ずっと広い。とっても大きな庭に、池がある。池のまんなかには島があり、島にわたる橋もある。建物も大きくてあたらしい。嵯峨《さが》にあるので嵯峨中院《ちゅういん》とよばれている。

藤《ふじ》は池のなかの島にあった。房《ふさ》が長くたれ、みごとにさいていた。

為氏《ためうじ》の父と母、小さな弟と妹も、京から来ていた。弟と妹が為氏に飛びつき、わたしたちは、庭で遊んだ。

蓮生さんは、定家さんよりずいぶん年下だ。もとは武将《ぶしょう》だったからか、肩《かた》も首もがっしりとしている。頭をきれいにまるめ、仏《ほとけ》の修行《しゅぎょう》に熱心にはげんでいる。庭で遊ぶ孫たちのすがたを、目をほそめてながめた。

一家の団《だん》らんを目にしながら、わたしはひそかにほっとしていた。ここにも、こぬ人をはいないみたいだ。

為氏と弟が蹴鞠《けまり》をするというので、わたしも挑戦《ちょうせん》した。薫《かおる》は為氏の妹に、絵をかいてあげている。

鞠をけりあげ、おとさないように長くつづけるのがいいそうだ。高くあげようと、強くけったら、軒下《のきした》までころがってしまった。

ひろいに行くと、縁側《えんがわ》に近いところに、定家《ていか》さんと蓮生《れんしょう》さんがいた。

「百人ひとり一首の趣向《しゅこう》、気に入っていただけましたかな」

定家さんだ。蓮生さんがうなずく。巻紙《まきがみ》をひろげ、定家さんがえらんで書きならべた歌に、目を通している。

「おもしろきことを思いつかれましたな」

「京の時をたどってみようと思いましてな。この地に京があらわれてから、今日《こんにち》までの、長く、美しく、かがやかしい時を。もちろん、時どきを代表する歌人を入れましたが、帝《みかど》の名のもとに出す勅撰集《ちょくせんしゅう》とはちがうのだから、歌は思いきって好みでえらんだのです」

定家さんが、ためし書きした色紙《しきし》をとりだし、つづける。

「過《す》ぎし人びとの歌を順に追うことで、昔をしのぶ。このように、障子《しょうじ》にぐるりとはれば、この部屋にいながらにして、京にいとなまれてきた長い時に、思いをはせることができましょう」

いけない。立ち聞きするつもりはないんだ。鞠《まり》はどこ。

見当たらないと思ったら、縁の下にころがりこんでいる。背《せ》をかがめれば入れるので、そのままくぐっていく。頭の上から話し声がする。

「なるほど、そのような壮大《そうだい》なもくろみですか。わが屋敷《やしき》に、小さな京ができあがるようなものですな。恋《こい》の歌が多いのが定家《ていか》どのらしい」

縁《えん》の下《した》は暗くて、あかるいところから来てすぐは、よく見えない。鞠《まり》だと思ったのは石だった。

頭の上から、紙の音と、おや、という蓮生《れんしょう》さんの声がした。

「きっちり、百首ではないようですが」

定家さんがこたえる。

「まよっているのです」

「あのおかたですな」

「蓮生どのには、いいにくきことなれど、隠岐《おき》の院《いん》を入れずには、どのような歌集も完全なすがたにならぬ。あのおかたは、京の長い歌の歴史《れきし》を見返しても、まことに稀《け》有《う》なかた。新勅撰集《しんちょくせんしゅう》では関白《かんぱく》さまの命ではずしたが、じつに不本意であった」

「しかし、鎌倉《かまくら》に弓をひかれたおかたですからのう。ここの間《ま》にかざるのは、はばかりがあります。朝廷《ちょうてい》ではいま、院の赦免《しゃめん》を鎌倉にねがいでているとか。ゆるされ、京にもどっていらっしゃるのであれば、またちがうかと」

蓮生《れんしょう》さんがしずかにいい、定家《ていか》さんの返事はきこえなかった。

やっと見つけた。鞠《まり》を手に、ごそごそはいでていくと、為氏《ためうじ》が縁《えん》の下《した》をのぞきこんでいた。

「ごめん。なかなか見つからなくて」

「みな、まっているぞ」

庭には、背《せ》の高い人もいた。為氏のおとうさんだ。蹴鞠《けまり》にまざるという。

なんと為氏のおとうさんは、若《わか》いころ蹴鞠に熱中し、隠岐《おき》の院《いん》にもほめられたくらい上手《じょうず》なんだって。

相手がけりやすいように、たくみに鞠をまわしてくれる。為氏も弟も、わたしも、ぐんとうまくなった気がする。

それから日暮《ひぐ》れまで、蹴鞠でたっぷり遊んだ。

十

文字と絵ひとそろい

一週間くらいして、またおさそいがあり、定家《ていか》さんは蓮生《れんしょう》さんの屋敷《やしき》に出かけていった。きょうは連歌《れんが》の会だというので、わたしたちは留守番《るすばん》だった。連歌というのは、何人かの人が短歌の上《かみ》の句《く》、下《しも》の句を交互《こうご》に詠《よ》み、つなげていく形式の歌だ。

夕暮《ゆうぐ》れ時《どき》に、定家さんが輿《こし》に乗って帰ってきた。為氏《ためうじ》の父もいっしょだった。それにもうひとり、男の人がいる。

気づいた薫《かおる》が、縁側《えんがわ》まで飛びだしていった。

「お父さま」

薫の父だった。ふたりとも、連歌の会によばれて、京から来ていたという。

為氏《ためうじ》の父が、定家《ていか》さんが輿《こし》からおりるのを助けた。

「おつかれでしょう、父君。あちらでも、ずっと伏《ふ》しておられた」

「そうだな。もう休ませてもらおうかの。蓮生《れんしょう》どのより、まためんどうなたのまれごとがあったが、考えるのは明日《あす》じゃ」

定家さんは、為氏の父にささえられて、奥《おく》に入っていった。

薫《かおる》の父は、わたしたちが書きものをしていた部屋にのこった。

きょうは、わたしも絵をかいていた。松浦宮物語《まつらのみやものがたり》の、琴《こと》が空を飛んでいく場面だ。為氏が「琴に見えない、ただの箱だ」とけなすので、じゃあ、為氏もかいてよってなって、薫もまざって三人でかきちらした。

そうだった。薫の父は絵の名手だったと思いだし、はずかしくなってちらかった紙をかきあつめる。

薫の父は、一枚《まい》ひろいあげて、ふきだした。

「これはおもしろき絵だな」

琴が飛んで、びっくりして口をあけている主人公氏忠《うじただ》、のつもりの絵だ。

「もしおさまの絵です。わたしでは思いつけないような、かきかたをするの」

薫《かおる》がいって、わたしをひきあわせてくれた。

「薫の父、信実《のぶざね》だ。薫が世話になっているようだね」

「わたしのほうこそ。お世話になってます」

ぺこりと頭をさげたけれど、あれっと思う。信実さんという名前、どこかできいた気がする。

すると、為氏《ためうじ》があいだにわって入った。

「わたしの絵も、見ていただけますか。もしおどのよりは、いいと思うんですが」

将軍《しょうぐん》になった氏忠《うじただ》がよろいを着て、刀をかまえているところ――刀だけこまかくかいてある――を、もってくる。

信実さんは、「ほう、なかなか、よくかけている」とほめた。

そうかな。刀だけでしょうと思っていると、信実さんはつづいて、薫の絵を手にとった。

ヒロインの公主《こうしゅ》を、うしろすがたではなくて、正面からかいた絵だ。

主人公が恋《こい》するのにふさわしい美少女だ。大きめの目に長いまつげ、やわらかいあごの線。中国の姫《ひめ》なので、髪《かみ》を結《ゆ》いあげて、竜宮城《りゅうぐうじょう》の乙姫《おとひめ》みたいな、ふんわりした衣《ころも》を着ている。

墨《すみ》一色なのに、いきいきとしたほっぺたの色を感じ、髪《かみ》かざりがひかっているのが、見える気がする。

薫《かおる》は期待と不安を見せて、まっている。信実《のぶざね》さんはしばらく絵を見つめ、顔をあげると、わたしをちらりと見てから、薫にいった。

「これは、そちらの、もしおどののすがたを写したものか」

「はい。もしおさまです」

え？　わたし？

「もしおさまの、芯《しん》が強くてあかるいところが、物語に出てくる公主《こうしゅ》に似《に》ていると思ったのです。叔母《おば》さまがかく女君にくらべて、目が大きすぎるし、あごもほっそりしすぎているけれど、異国《いこく》の姫君《ひめぎみ》だから、むしろそこがよくて。わたしは、もしおさまを美しいと思うの」

わたし、こんなきらきらした顔だったっけ。手でほっぺたやあごをさわっていると、為氏《ためうじ》がぼそりといった。

「わたしにもわかる。そなたにそっくりだ」

「そうなの？」

「ああ。――わたしも、薫《かおる》どのとおなじ意見だ」

えっ、なにが？　とききかえしたけど、為氏《ためうじ》はこたえなかった。

信実《のぶざね》さんは絵をおろすと、薫にむきあった。

「きょう、蓮生《れんしょう》さまによばれたのは、連歌《れんが》とはべつに、もうひとつ用事があってな。定家《ていか》さまがおえらびになった障子《しょうじ》の歌に、対《つい》になる絵をつける。それをたのまれたのだ」

薫が声をはずませた。

「歌仙絵《かせんえ》ですね」

「そうだ。障子にはる色紙《しきし》にあわせた、歌人の似《に》せ絵《え》だ。あすからは、それにとりかかる――」

信実さんは、薫にむかってほほえむ。

「なにしろ百枚《まい》もかかなくてはならない。――薫、わたしと京の屋敷《やしき》にもどらぬか。兄たちとともに、絵を手伝《てつだ》っておくれ」

薫は言葉につまり、胸《むね》をおさえた。ひとみがうるむ。

「はい」

こたえた顔は、晴れやかだった。

わたしたちは、手に手をとって、はねてまわった。為氏《ためうじ》は「天の流儀《りゅうぎ》だな」とつぶやいた。


薫《かおる》は次の日、父たちと京へ帰っていった。

とたんに、することがなくなった。薫がいなくては、なにをしてもつまらない。本を読むのも書きうつすのも気持ちが入らない。

その次の日には、為氏はひとりで、蓮生《れんしょう》さんの屋敷《やしき》へ出かけてしまった。鎌倉《かまくら》の叔父《おじ》、泰綱《やすつな》さんが来ているときいて、よろこんで飛んでいったのだ。

わたしは、屋敷の外に出て、竹やぶのあいだをぶらぶら歩いた。竹がさわさわいうだけで人影《ひとかげ》はなく、あぶないことはなさそうだ。

日差しが強い。もう夏だ。

こぬ人をは、この時代にいないのかもしれない。それなら、このままずっとここにいる。そうしても、いいかな。

川べりまでおりていくと、緑の小倉山《おぐらやま》が間近にこんもりすわっていた。

魚をとっている人たちがいる。すこしはなれたところで、足だけ川に入る。つめたくて気持ちいい。しばらく、石を投げて遊んだ。

ふいに日がかげった。湿《しめ》った風がふいてきて、雲がいきおいよく動いていく。魚をとっていた人たちが、手早くかたづけ、あがっていく。

「雨がちかい。お帰りになったほうがよいですぞ」

と、声をかけてくれる。

うなずいてふりかえると、道に牛車《ぎっしゃ》がとまっていた。

わたしがふりむいたとたん、牛車の窓《まど》がぱちりとしめられた。にげるように動きだす。

わたしは、はじかれたように走った。

あの人だ。

為氏《ためうじ》の母のところで会ったお坊《ぼう》さん。信実《のぶざね》の子、信海《しんかい》と名乗った。

あの牛車は、きのう、薫《かおる》が乗って帰った牛車だ。つまり信実さんの家の牛車。

ああ、やっとわかった。薫の家族のことを話すとき、為氏のようすが変だったのはこれをかくそうとしたんだ。あの人が、薫《かおる》のお兄さんだから。

だけど、ほんとうはちがうはず。だって、こんなに胸《むね》がさわいでいる。すぐに、つかまえなくちゃいけない。いっしょにいなくてはだめだと、なにかがいう。

為氏《ためうじ》の母はあの人のことを、こういっていた。絵を学び、わずか三年でうでをあげた——と。こぬ人をがいなくなって、三年だ。

土手をかけあがり、牛車《ぎっしゃ》の窓《まど》に手をかける。

「こぬ人を！」

牛車といっしょに走りながらさけぶ。

「こぬ人を、まつほの浦《うら》の！　わたしだよ！　わかってるくせに！」

牛車がとまり、窓がひらいた。あの人が顔を出し、口に人さし指をあてる。

「声が大きすぎる。山にこだましているよ、やくやもしおの」

顔は見なれない。読みふだにかかれていた定家《ていか》の絵とも似《に》ていない。でも、そのいい方は、なつかしいこぬ人をだ。いつもだまってるくせに、口をひらくとちょっときざな。

頭をまるめた僧侶《そうりょ》のすがたなのが知的で、意外にもとってもこぬ人をらしい。

そうとわかったら、いっぺんに安心した。どきどきもおさまる。不安な気持ちも消えて、とにかく帰らなくちゃと、強く思う。

「さがしてたんだ。つれもどしに来たんだよ。いっしょに帰ろう」

こうして、顔を合わせて話せば、いっしょに帰ってくれる。そんな確信《かくしん》があった。なんといっても、わたしたちはひとつの歌なんだから。

ところが、こぬ人をは、それはできないと、首をふった。

「信夫《のぶお》さんとの約束だ」

「ここにいるのが？　約束ってなに？」

たずねても、こぬ人をはだまっている。

「凪《なぎ》さんがこまってるんだよ。こぬ人をがいないと、資料館《しりょうかん》をやめさせられてしまう」

わたしはじれったく、声をあげた。

「ねえってば！」

窓枠《まどわく》にしがみついたとき、空に光が走った。

黒い雲が、空をおおっていた。かみなりが鳴る。雨粒《あまつぶ》が道をぬらした。夕立だ。すぐに、はげしくふってくる。

「屋敷《やしき》にもどったほうがいい。わたしも、だいじなものをあずかっているから、もう行くよ」

牛車《ぎっしゃ》が動きだす。追いかけようとして、ぬかるんだ道に足をとられた。われるような雷鳴《らいめい》がして、思わず身を伏《ふ》せる。

雨が髪《かみ》をぬらし、顔を伝っておちる。ふるえているわたしのとなりに、だれかがしゃがんだ。

「もしおどの」

為氏《ためうじ》の声だ。

顔をあげると、こぬ人をの牛車は、はるか遠く雨にかすんでいた。為氏は、遠ざかる牛車を見て顔をしかめた。

「信海《しんかい》どのの牛車だな。話をしたのか……」

わたしにたずねたというより、ただたしかめたといういいかただった。

「雨をよけよう」

そういって、わたしの手をとって、ひっぱりあげてくれた。

為氏《ためうじ》が手をひいて助けてくれるのは、三度目だなと思いながら、ひっぱられるまま、近くの家の軒先《のきさき》に入った。ぬれたって、もうどうでもいい気がしたけど、かみなりはこわかった。何度も光って、ごろごろと空をわたっていく。

かみなりの合間に、為氏がいった。

「蓮生《れんしょう》のおじいさまのところに、信実《のぶざね》さまの使いとして、信海《しんかい》どのが来た」

信海は、為氏を見るとうろたえて、まるで、そばにわたしがいるのではないかというように、あたりに目をやったという。

「やはり、なにかかくしておられるのだと思った。それで、もしおどののことが気がかりになって来てみたのだが……。さがしているかただったのか」

わたしはうなずいた。

「うん。こぬ人をだった。まちがいない。なのに、いっしょに来てくれないというんだ。どうしても、つれて帰らなきゃいけないのに」

為氏はすこしさみしげになった。それでも声に力をこめていってくれる。

「気落ちすることはない。居場所《いばしょ》はわかったのだから、説得《せっとく》すればよい。あきらめるな」

わたしははっとして、為氏《ためうじ》をふりあおいだ。背中《せなか》を打たれたみたいな感じ。はげましてくれるその言葉が心強くて、胸《むね》があたたかくなる。

「うん、そうする。ありがとう」

為氏は空を見て、わたしをうながした。

「小ぶりになった。別邸《べってい》まで走るぞ」

別邸への坂道を、ふたりで走った。

雨脚《あまあし》は弱まったり、強まったりした。横風がふき、帰りつくころにはびしょぬれになっていた。

庭から縁側《えんがわ》にあがる前に、髪《かみ》と衣《ころも》をしぼった。定家《ていか》さんが心配して、縁側まで出てきた。

「おお、帰ってきたか。無事だったかの」

定家さんは、にこにこしていた。連歌《れんが》の会のあと、具合がよくなくて、ずっと横になっていたのが、やっとあかるい顔になっている。

すっかり元気そう——というより、なんだかとってもうれしそうだ。部屋のなかに包みがあって、それをいまひらいたところのようだった。

「為氏《ためうじ》が、蓮生《れんしょう》どのから色紙《しきし》をわたされてきての。えらんだ歌は能書《のうしょ》（文字をたくみに書く人）に書かせるはずであったのに、ためしに書いた色紙を、蓮生どのはいたく気に入られて、わたしに百枚《まい》すべて書けというのだ」

めんどうなことよ、人に見せるほどの字ではないのに、見苦しいことよ、といいながら、定家《ていか》さんはうれしそうにしている。

包みから見えているのは、あたらしい紙の束。夕立でうす暗くなったので、召使《めしつか》いがあかりをもってきた。その光を反射《はんしゃ》して、きらきらしている。

「きれいな紙……」

近づこうとすると、為氏が必死の形相《ぎょうそう》でおしとどめた。

「水が飛ぶ。紙がぬれる。嵯峨《さが》のおじいさまが、特別につくらせた紙だ。あのような上等な紙のかわりは、わが家にない」

そのために用意された高級な紙に、定家さんが文字を書き、似《に》せ絵《え》の名手、信実《のぶざね》さんが歌人の絵をかく。

為氏が文字を書く色紙をわたされてきたように、こぬ人をは絵のための紙を、蓮生さんからうけとりに来たのだ。

いよいよつくられる。いずれ百人一首とよばれる、嵯峨中院《さがちゅういん》の色紙《しきし》が。

さっそくとりかかるぞと、定家《ていか》さんは意気ごんでいたけれど、次の日は大雨になった。紙が湿《しめ》っぽくなるので、見合わせた。

その次の日も雨だ。かみなりが鳴り、屋敷《やしき》のうらの小川がごうごうと流れる。山から石がころがってくるのか、ごろごろとおそろしい音もする。

定家さんはすっかりまいってしまい、京に帰ることにした。


京極《きょうごく》の屋敷にもどってからは、定家さんは色紙に専念《せんねん》した。失敗はできないと、まずはおなじくらいの大きさの、べつの紙に書いてみる。

為氏《ためうじ》は紙を切り、下書きをした。文字の配置や大きさを、あれこれためす。定家さんの字にそっくりに書けるのが、こんなとき役立つ。

紙は正方形に近い縦長《たてなが》。そのなかに縦書きで、四行。ほぼ四角に文字をならべる。つづけ字ではなくて、一文字ずつはっきりした、定家さんの字だ。図形みたいにととのって、すっきりとした感じがする。

歌を詠《よ》んだ人の名前はない。それは信実《のぶざね》さんの絵のほうに書かれる。

色紙《しきし》に書く文字は、下《しも》の句《く》だけじゃなくて、歌ぜんぶだ。

「これこそ、ほんものの小倉《おぐら》色紙だね」

佐藤《さとう》さんたちが美術書《びじゅつしょ》をひらいて、写真をながめるのを見たことがある。

藤原《ふじわらの》定家《ていか》が書いたという百人一首の色紙は、小倉色紙とよばれて八百年後ものこっている。三十枚《まい》ほどあるといわれているけれど、後世に書かれたものもあり、ほんものかどうか判断《はんだん》するのはむずかしい。

「室町《むろまち》時代に、お茶の席でかざるのがはやったんだって。おなじ歌が二枚のこってたりして、字も紙の大きさも微妙《びみょう》にちがってて、ほんものかにせものか、わからなくなってるんだ。もしほんものだったら、国宝級《こくほうきゅう》らしいよ」

はしゃぐわたしの話を、為氏《ためうじ》はいつになく真剣《しんけん》にきいてくれて、深くうなずいた。

「あいかわらず、もしおどののいうことはよくわからぬ。しかし、天でも、おじいさまはすばらしいかたと、伝わっているのだな」

さて準備《じゅんび》がととのうと、いよいよ定家さんが清書する。

屋敷《やしき》じゅうが、どことなく緊張《きんちょう》している。わたしもさすがにしずかにした。

色紙が一枚ずつ、できあがっていく。それを見て、わたしは心を決めた。こぬ人をに、会いに行く。

為氏《ためうじ》に相談すると、牛車《ぎっしゃ》を出そうといってくれた。

あのあとすぐ説得《せっとく》に行こうとしたら、あまりすぐでは、相手はよけいにかたくなになるのではないかと、為氏にいわれた。それに、こぬ人をは信海《しんかい》として、貴族《きぞく》の屋敷《やしき》にいる。おしかけても、会わないといわれたら、それまでだ。

来たばかりのころのわたしなら、それでも走っていって、やみくもに門をたたいたかも知れない。でもいまは、そうしようと思わない。

それに、百人一首ができていくのが見たかった。その手伝《てつだ》いをしたかった。でも、いつまでもそうしていられない。

為氏は、薫《かおる》に手紙を書いてくれた。

「信海どのに会えるよう、薫どのにたのんだ。できれば、わたしもいっしょに行きたいところだが」

為氏は、定家《ていか》さんのそばにいなくてはならない。根《こん》をつめた定家さんが、むりをすることのないように気をつけよと、父からもいわれている。

「ひとりでだいじょうぶだよ」

あたらしく着せてもらった水干《すいかん》のそでを、ひらひらさせて見せる。

為氏《ためうじ》は目をほそめ「ほんとうであろうか」という。それから、あらたまった顔になった。

「もしおどの。来てくれたことに感謝《かんしゃ》する」

「急にどうしたの」

「きちんといっておきたかったのだ。これで、わかれかもしれぬ。信海《しんかい》どのを説得《せっとく》できたら、そのまま天に帰るのだろう？」

「あ、そうだよね。できればそうしたい」

いいながら、息がつまった。

わかってたはず。帰るってことは、ここをはなれて、もどってこないことだって。

それでも、こぬ人をと帰らなくちゃいけない。凪《なぎ》さんのため、百人一首かるたのみんなのため。

こぬ人をがいれば、すっかり安心できた。ほかの選択《せんたく》はないと感じた。わたしたちがもどって、百枚《まい》の読みふだと百枚の取りふだがそろうこと。あの箱にそろっていることが、完璧《かんぺき》なすがた——そう思った。

そのはずなのに……。

「みじかいあいだだったが、弟子《でし》としてよくやっていた。もしおどののおかげで、おじいさまも、ほがらかになられた。これからは、天がさわがしくなるな。あちらにもどっても――」

そこで為氏《ためうじ》はとまどい、言葉をとめた。

わたしは、為氏を見たまま、まばたきした。もりあがった涙《なみだ》が、ほっぺたをつたい落ちた。

「あ、あれ？　なんで？」

こんなのはじめてだ。泣くって、こんなふうなの？　そんなつもりじゃないのに、とめられない。

わたしは水干《すいかん》のそでで、涙をぬぐった。為氏が遠慮《えんりょ》がちに近づいた。

「あたらしい衣《ころも》が、だいなしになる」

そういうと、自分のそでをかしてくれた。泣いているせいなのか、胸《むね》が苦しい。

「信海《しんかい》どのは、きっとわかってくださる。目的を果たして、天に帰られよ」

いつになく、やさしいいいかただ。そんなふうにいってほしくない。

わたしは、そでをひっぱり、頭をふった。

「いやだ。行きたくない」

間近にあたたかみを感じて、はっとする。人はあたたかい。為氏《ためうじ》も。

――わたしも。

「わたしとて……」

為氏がつぶやく。声がとても近い。

涙《なみだ》がとまっていた。自分の胸《むね》の音が、どきどきとうるさい。

けれど為氏は、すぐにあかるくいった。

「案ずることはない。いつものように、元気に行ってくればよい。牛車《ぎっしゃ》の用意ができたようだ。そでをかえしてくれぬか」

「……うん」

わたしは、いそいで自分のそでをたぐりよせた。顔がほてる。

為氏はさっと横をむき、早口になった。

「道中つつがないことを祈《いの》る。天にもどっても、息災《そくさい》ですごせ」

そういって、見送らずに行ってしまった。

十一

色紙《しきし》和歌《わか》の歌

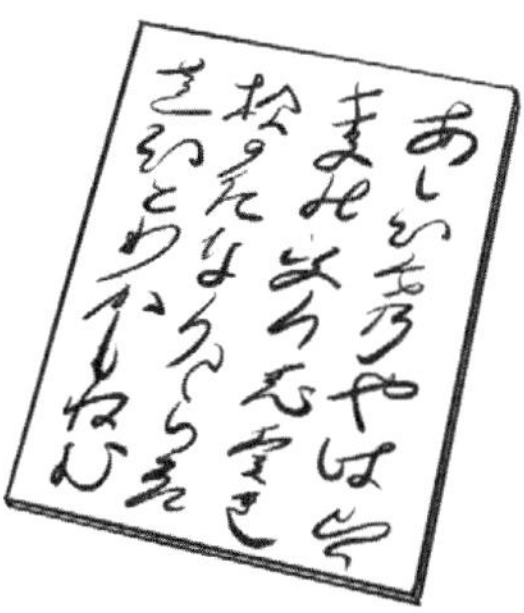

こぬ人を説得《せっとく》すべく、いさんで出かけるつもりだったんだけど、実際《じっさい》のわたしは、牛車《ぎっしゃ》のなかでぼんやりしていた。

心ここにあらずのわたしを、出迎《でむか》えてくれた薫《かおる》が心配した。

「おひさしぶりです、もしおさま。きょうもすてきなお召《め》しもの。りりしくて、よくお似合《にあ》い——どうしたの、元気がないのね。だいじょうぶ？　もしおさま？」

「あっ、うん。へいきへいき。会いたかったよ、薫」

薫の顔を見たら、うれしさがこみあげてきた。わかれてから、まだひと月もたってないけど、とってもなつかしくてうれしい。

薫《かおる》は父を手伝《てつだ》いながら、絵を学んでいるといった。姉たちも、薫の絵を楽しみにしているそうだ。

「叔母《おば》さまにも、教えをこうているのよ。更級日記《さらしなにっき》の下絵を見せてくださったの」

絵巻《えまき》や屏風《びょうぶ》の絵は、信実《のぶざね》さんひとりでかくのではなくて、何人もの手がかかっている。絵の具のことや筆や紙のこと、学ぶことはたくさんあるという。

「もちろんいまは、定家《ていか》さまの色紙絵《しきしえ》を、みなでかいているの」

薫は、自室に案内すると、すだれをおろし、ついたてや屏風でまわりをかこった。声をひそめる。

「為氏《ためうじ》さまからの文を読んだわ。信海《しんかい》兄さまに、ふたりだけで会いたいとか」

「うん。あの人が、わたしがさがしていた人なんだ」

おどろくかと思ったのに、薫はそれほど意外そうでもなく、うなずいた。

「そうなのね。じつは、信海兄さまのことは、わたしもよく知らないの。小さなときにお寺にあずけられたそうで、お会いしたことがなかったから。父さまも、ずっと会っていなかったみたい」

おさない子どもを寺にあずけることは、貴族《きぞく》の家ではときにあることらしい。僧侶《そうりょ》になった信海《しんかい》は、三年前にとつぜん信実《のぶざね》さんのもとに来て、自分の絵を見てほしい、どうしても弟子《でし》にしてほしいとたのみこんだ。

かかせてみたら、すばらしい才能《さいのう》の持ち主で、信実さんは手もとで育てなかったのを後悔《こうかい》したとか。それからすぐに頭角をあらわして、いまではみながみとめる絵師《えし》になった。

「小さなころのことは、姉さまたちも知らないの。絵の基礎《きそ》をどうやって学んだのかもわからない。ちょっとなぞめいているでしょう？　だから、もしおさまとおなじ、天のかたといわれても、そんなにおどろかないわ」

そんなふうに薫《かおる》はいう。どうしてこぬ人をが信海になっているのかわからないけれど、きっと日吉《ひえ》の神さまがそうしてくれた。

「こぬ人をは、そんなに絵がかきたかったんだね」

知らなかったとつぶやくと、薫は「わたしの口からいっていいかどうか」とまよいながら、教えてくれた。

「亡《な》くなったかたのねがいなんですって。そのかたは、絵を学びたかったのだけど、家をつがなくてはならなくて、あきらめたのだそうよ。とてもお世話になったかたで、そのことを、信海《しんかい》兄さまはずっと心にかけていた」

「亡《な》くなったかた……」

信夫《のぶお》さんのことだ。佐藤《さとう》さんの家は、村に古くからつづく由緒《ゆいしょ》ある家だった。信夫さんはそのひとり息子で、あととり。信夫さんの若《わか》いころは、家をすてて自分の夢《ゆめ》を追うのはむずかしいことだった。

信夫さんは、年をとってから、ふたたび絵を習いはじめた。もしも、若いころからずっとつづけていたならと、くやむ気持ちもあったのだ。

日本画をかく信夫さんのすがたを思いだす。こぬ人をはいつもそのようすを見ていた。

「あ、兄さまがいらした」

すだれをあげて、こぬ人をが入ってきた。わたしを見てもにげださず、屏風《びょうぶ》の前に腰《こし》を落ちつけた。

薫《かおる》は、すっと立ちあがった。

「外に出ています。ふたりで話して」

わたしは薫にお礼をいって、さっそくこぬ人をにむきあった。

「こぬ人をが、ここにいるのは、信夫《のぶお》さんのねがいなの？」

「そうだ。もしもやりなおせるのなら、どんなに反対されても、望んだ道を行くといっていた。その意志《いし》をついでいる」

こぬ人をは、思いだすようにいう。

「あの人が絵をかくときの、真剣《しんけん》で楽しそうなすがたに、自分もこの手でやってみたいと夢《ゆめ》を見た。だからこれは、わがねがいでもある」

定家《ていか》さんに会いに来たんじゃなかったんだ。

「でもどうして、ここ？　鎌倉《かまくら》時代なの？」

「信夫さんが、ある展覧会《てんらんかい》からもどり、買いもとめた図録をひらいて、熱心に話していた。とても古い、鎌倉時代のすばらしい絵だと。佐竹本《さたけぼん》三十六歌仙《かせん》絵巻《えまき》という。絵の作者は藤原信実《ふじわらののぶざね》だといわれているという。話をきくうちに、どうせなら、そんなすばらしい人のもとでと思った」

「そうだったんだ。それで」

三年でみとめられるほど、熱心にとりくんだ。わたしも、とてもほこらしい。

こぬ人をが、ここで築《きず》きあげたこと、努力した成果を、なかったことにして、むりにつれて帰る権利《けんり》なんて、わたしにはない。信夫《のぶお》さんもきっと悲しむ。

「それじゃあ、帰れないねえ」

うーんと首をひねり、はっとした。

いま、帰らなくていい理由を見つけたと思った。

こんなのはだめだ。凪《なぎ》さんのため、こぬ人をつれて帰る。そのためにここに来た。

神さまに、そうおねがいした。

「ごめん、やっぱり帰らなくちゃ。こぬ人をにはわるいけど、凪さんが心配だもの」

こぬ人をが、笑った。

「いっしょに行ってやるよ」

「えっ？」

びっくりしてききかえす。

「凪さんのことは、もちろんおぼえている。あの人が、かるたの箱を見つけてくれなかったら、いまここにいない。あの人のためなら、もどろう」

嵯峨《さが》でわたしと会ってからいままでに、考えて心を決めていたのだそうだ。為氏《ためうじ》の助言どおり、いそいでうるさくせず、時間をおいてよかったんだ。

「ほんとうにいいの？」

「ほかならぬ、やくやもしおののたのみだ」

こぬ人をはうなずき、表情《ひょうじょう》をひきしめた。

「ただし、色紙《しきし》の、まかされている作業にめどがつくまで、まってくれ。そこは無責《むせき》任《にん》にしたくない」

「うん。わかった」

いますぐ帰らなくていい。もうちょっと、ここにいられる。ぱっとうれしくなって、でも一時《いっとき》なんだと、悲しくなって――。

めまぐるしく気持ちが動く。自分でもどうしようもない。こんなこと、前はなかった。ふただったときには。

こぬ人をが、そんなわたしを見ていう。

「ところで、そっちはいいのか。帰ってしまっても」

「いいもわるいも……」

歯切れがわるくなる。

こぬ人をは、おもむろに扇《おうぎ》をひろげた。その手つきがなれていて、ああ、この世界になじんでいるなと思う。わたしより、三年も長くいる。いいな、と思う。

「もう一度、ここにもどってこないか」

見れば、こぬ人をはなにかをたくらむみたいに、にやりとしている。

「もどるってなに？　展覧会《てんらんかい》がおわったら、またいなくなるとか、そういうこと？」

わたしは眉《まゆ》をよせた。それでは、凪《なぎ》さんがこまるのにかわりない。一時《いっとき》ごまかして、またいなくなるなんて。

「また、一枚《まい》たりないっていわれたらどうするの。行ったり来たりする？　まさか、またわたしがよびに来るとか？　ずるい、こぬ人をばかり。わたしも、ここにいたい」

ふつふつと胸《むね》が熱くなる。いいきると、こぬ人をは声をあげて笑った。

「意見が一致《いっち》した」

くやしいけど、よくわかった。わたしはここにいたい。帰りたくなんてない。

こぬ人をには、考えがあるんだ。だからもどるのを承知《しょうち》してくれたんだ。

「ここにいられる、方法があるの？」

こぬ人をは笑いをおさめ、うなずいた。

「行ったり来たりはできない。神を便利に使うようなねがいでは、神罰《しんばつ》がくだりそうだ。ただ、ふたりがそろえば、もとの場所にもどれるのはたしかだろう」

「うん、こぬ人をつれてもどる、それがわたしのねがいだったから」

「やくやもしおのは、気づいたかどうか知らないが、ここに来たとき、通ってきた道が見えた」

「道？」

「わたしが来るときは、はじめ日吉神社《ひよしじんじゃ》の杉《すぎ》木《こ》立《だち》のなかを進んでいた。それがいつのまにか、竹やぶになった。自分の足で歩いていると気づき、ふりかえると、竹のあいだにまっすぐな道があったのだ。そのときひきかえせば、もどれたのだと思う」

わたしは空から落っこちてきたから、道なんて気づかなかった。人によってちがうのかな。

「ただし道が見えたのは、すこしのあいだだけだ。すぐにひきかえす必要がある」

わたしは首をかしげた。

「それ、帰らないのとおなじだよね」

「五分くらいはあるだろう。そのあいだに、身代わりをおいてくる」

こぬ人をはひろげた扇《おうぎ》を口もとにかざし、顔をよせてきた。

「かわりのふだをつくるんだ」

「つくる？」

ふたりでひそひそ話していると、薫《かおる》の声がした。

「あの、もしおさま――」

「入ってもだいじょうぶだよ、薫」

薫はすだれをくぐり、おずおずとやってきた。

「お話をきいてしまったの。どうしても気になって。ごめんなさい」

「いいよ。秘密《ひみつ》じゃないから」

薫はあらためて、わたしをじっと見た。

「もしおさまは、いずれ帰っていかれるのだと、為氏《ためうじ》さまよりうかがっていました。事情《じじょう》がおありでしょうから、とめられないと思っていたの。だけど、もどっていらっしゃることができるのなら、わたし――」

言葉をとめ、薫はわたしの手を強くにぎった。

「ぜひ、お手伝《てつだ》いさせてほしいの」

そうして、わたしはいったん、定家《ていか》さんの屋敷《やしき》に帰った。

もどったわたしを、為氏《ためうじ》はほっとしたような、気まずいような顔で迎《むか》えた。

わたしも、なんだかぎこちなくて、こぬ人をの作業がひと段落《だんらく》ついたら帰るとだけ伝えた。

定家さんは、清書をしている。気力と体力を使うのだろう。一気に書くのではなく、休みながらじっくり書いている。

わたしも、できるだけ心しずかに、筆をとってすごした。

定家さんの覚え書きをかしてもらい、えらばれた百首を順に写した。歌のならびは年代順だ。まずはじめは天智天皇《てんじてんのう》の歌から。

　秋の田の　かりほの庵《いお》の　苫《とま》をあらみ　わが衣手《ころもで》は　露《つゆ》にぬれつつ

秋の田にまにあわせにつくった小屋は、屋根をおおう苫（スゲやカヤを編《あ》んだもの）があらいので、わたしのそでは夜露にぬれつづけています。

次が天智《てんじ》天皇《てんのう》の娘《むすめ》の、持統《じとう》天皇の歌。

春すぎて　夏来にけらし　白妙《しろたえ》の　衣《ころも》ほすてふ《（ちょう）》　天《あま》の香《か》具山《ぐやま》

春がすぎて夏が来たようです。天の香具山にまっ白な衣が、ほされているところから見ると。

一番目の天智天皇と、二番目の持統天皇は平安《へいあん》時代の人じゃない。飛鳥《あすか》時代というもっと古い時代の人だけど、天智天皇は平安京をつくった桓武《かんむ》天皇のご先祖《せんぞ》になる。

定家《ていか》さんは蓮生《れんしょう》さんに、この色紙和歌《しきしわか》で、京の時をたどるといっていた。

桓武天皇が京都《きょうと》に京をつくってはじまった平安時代。このふたりは、京の歴史《れきし》を語るためのトップにふさわしいのだ。

そういえば、わたしたちかるたの「秋の田の」と「わが衣手《ころもで》は」も、百人一首かるたみんなのまとめ役だった。

そのあと、三番から七番も、平安《へいあん》時代より前の人だけど、和歌の歴史《れきし》には欠かせない人たちなんだって。三番目の柿本人麻呂《かきのもとのひとまろ》は、歌聖《かせい》とよばれた伝説の人だ。

あしびきの　山鳥《やまどり》の尾《お》の　しだり尾の　ながながし夜《よ》を　ひとりかも寝《ね》む《（ん）》

山鳥のたれさがった長い尾のように、この長い夜をわたしはひとりさみしく寝るのでしょうか。

そしていよいよ平安時代がはじまり、小野小町《おののこまち》とか在原業平《ありわらのなりひら》、それに古今和歌集《こきんわかしゅう》の序文《じょぶん》を書いた紀貫之《きのつらゆき》といった、歌仙《かせん》とよばれる歌の名人が登場する。

つづいて、紫式部《むらさきしきぶ》に清少納言《せいしょうなごん》など、宮中で女房《にょうぼう》として働き、はなやかな時代をつくった人たち、天皇《てんのう》を前にした歌合《うたあわせ》で、歌を競いあった人たちが、年代を追ってならぶ。

在原業平の歌。

ちはやぶる　神代《かみよ》もきかず　龍田川《たつたがわ》　からくれなゐ《（い）》に　水《みず》くぐるとは

神代にもきいたことがありません。龍田川が深紅《しんく》に染《そ》まり、その下を水が流れていくということなど。

そのあとに、西行法師《さいぎょうほうし》や定家《ていか》さんの父俊成《しゅんぜい》など、すこし前の時代の人がつづいて、最後に定家さんや、その友人たちが登場する。最後のところは「いま」なのだ。

定家さんの父、藤原《ふじわらの》俊成の歌はこんなふう。

世の中よ　道こそなけれ　思ひ《（い）》入る　山の奥《おく》にも　鹿《しか》ぞなくなる

世の中というものはのがれる道はないのですね。深く思って分け入った山の道でも憂《う》きことがあるらしく、鹿がもの悲しくないているようです。

定家さんの歌は九十七番目だ。

こぬ人を　まつほの浦《うら》の　夕なぎに　やくやもしほ《（お）》の　身もこがれつつ

まっても来ない人をまって、あの松帆《まつほ》の浦《うら》の夕なぎに焼く、藻塩《もしお》のように、わたしは身も心もこがれています。

わたしはこの歌を、何度もかいた。

定家《ていか》さんの文字に似《に》せるのではなくて、わたしに書かれていた、くずし書きの字を思いだし、できるだけそっくりに書く。はじめは大きく、そして、かるたのサイズに合わせて小さく。心をこめて。

「またまちがえた。なかなか、上手《じょうず》に書けないな」

そういえば、書道を習っていた千代子《ちよこ》さんは、展示《てんじ》のための清書を、何枚《なんまい》も何枚も、書いていた。何日も、ひたすら筆をとった。

「そうだね。これくらいで、へこたれていられない」

気をとりなおして筆をもつわたしを、為氏《ためうじ》がだまって見ていた。

色紙《しきし》の完成が近づいたころ、定家《ていか》さんに手紙がとどいた。

歌友だちの家隆《いえたか》さんからだ。家隆さんというのは、隠岐《おき》の院《いん》が京にいたころ、院のもとで定家さんと歌を競いあった、長年の友だちなんだって。

もちろん色紙和歌にもえらばれている。歌の順番は定家さんの次。

風そよぐ　ならの小川の　夕暮《ゆうぐ》れは　みそぎぞ夏の　しるしなりける

風がそよそよふいている、ならの小川の夕暮れは、もう秋のようですが、みそぎ（川や海でけがれを洗いきよめること）がおこなわれているのは、夏のしるしです。


家隆さんは定家さんとちがい、流された隠岐の院と、いまもやりとりをしている。院を心配し、もどってこられるよう、心をくだいている人だ。

取りふだの「みそぎぞ夏の」も、親切で、わたしがこぬ人をつれもどすといったら、心配してくれたっけ。

家隆《いえたか》さんの手紙を読むと、定家《ていか》さんの顔色がかわった。筆をおき、寝所《しんじょ》にひきこもってしまった。

心配してようすを見てきた為氏《ためうじ》がいった。

「隠岐《おき》の院《いん》が京にもどること、鎌倉《かまくら》のゆるしが出なかったそうだ」

京から遠くはなれた隠岐島《おきのしま》に流されて十四年。いつか帰れるという希望が断《た》たれたのだという。

定家さんは、隠岐の院がもどってくるのをまっていた。

色紙和歌《しきしわか》の覚え書きには、最後に隠岐の院と、おなじときに佐渡島《さどがしま》に流された、隠岐の院の子ども、佐渡《さど》の院《いん》の歌がならんでいる。

そのふたつを入れるかどうか、定家さんはまよっていた。鎌倉にそむいた人だと、蓮生《れんしょう》さんも入れるのをしぶった。

院が京にもどるのをゆるされたなら、堂々《どうどう》と入れられる。

だけど、隠岐の院は帰ってこられなかった。鎌倉幕府《ばくふ》にとって、まだ罪《つみ》のある人なのだ。

定家さんは気落ちして、色紙を書くのは、しばらくお休みになった。

四、五日たっても、定家《ていか》さんは寝所《しんじょ》から出てこなかった。為氏《ためうじ》は、書きあがった色《しき》紙《し》を箱に入れている。あとすこしのこった紙が、机《つくえ》の上に重ねられている。

「好きな歌を、好きなように入れられないって、つらいね」

わたしがいうと、為氏もぼそりと「そうだな」といった。

「おじいさまが案ぜられる。はりきって書いておられたから、これで元気をなくされなければよいが……」

「うん、心配だね」

心からうなずくと、為氏はさりげなくたずねた。

「ところで、もしおどのは、なにをしているのだ」

わたしのまわりには、紙がちらかっている。のりがかわくまで、さわっちゃだめと、女房《にょうぼう》たちにもいってある。

「これはね、薫《かおる》がかいた松浦宮物語《まつらのみやものがたり》だよ」

やくやもしおのの歌は、ようやくこれならという一枚《まい》が書きあがったので、薫のもとにおくりとどけてある。

薫には、あのとき事情《じじょう》をぜんぶ話した。わたしたちが、どんなところから来たか、かるたがどんなものか、わたしとこぬ人をが、かるたであることも。それを承知《しょうち》の上で、こぬ人をとの連絡《れんらく》をとりもってくれている。

とどけた書は、こぬ人をと薫《かおる》がかるたにしてくれる。

薫には、もどってくる計画を話したけど、為氏《ためうじ》にはいえなかった。

こぬ人をの考えどおりにうまく行くか、わからない。身代わりが役に立つのか、ほんとうに、またもどってこられるのか。もしもだめだったら……。

もう会えないかもしれない。だからせめて、なにかのこしておきたい。わたしがここにいたしるしを。

いまわたしは、薫がおいていった絵を、のりでつないでいる。

「絵巻《えまき》をつくってるんだ」

絵のあいだに松浦宮物語《まつらのみやものがたり》からひろった文章を入れる。ぜんぶつなげたら、絵巻ができあがるはず。

絵巻ときいて、為氏は興味《きょうみ》をひかれたらしい。

「それなら、うらにはって補強《ほきょう》するための、紙や布《ぬの》がいるのではないか」

部屋のすみのつづらをあけ、なかをさぐりはじめる。いろんな色や、もようの入った紙と布《ぬの》きれが出てくるので、わたしものぞきこんだ。為氏《ためうじ》が首をふる。

「切れはしばかりだな」

「ううん、これ、いいよ。つなげたらおもしろい。きれいだし」

「巻物《まきもの》の軸《じく》と、むすびひももいるな。文庫《ふみくら》に、なにかあったかも知れない」

そういわれると、できあがった巻物が目にうかぶようで、うれしくなった。

文庫へ行く為氏に、ついていく。

渡《わた》り廊下《ろうか》にさしかかったとき、召使《めしつか》いがあわてて走ってきた。

「たいへんです。為氏さま」

門でさわぎが起こっているという。怒鳴《どな》り声《ごえ》や悲鳴がきこえる。為氏がかけだし、わたしもあとを追った。

女房《にょうぼう》が悲鳴をあげて奥《おく》ににげてくる。召使いがあつまって、ふるえている。

門が力ずくでおしあけられようとしていた。内側から必死におさえているのは下男たち、それに泰綱《やすつな》さんがよこしてくれた、いかつい武者《むしゃ》だ。

とびらのすきまから、髪《かみ》がぼさぼさで着物はぼろぼろの人たちが見える。刀をぬいてわめいている。

「盗賊《とうぞく》だ――」

為氏《ためうじ》がはっと足をとめ、わたしを近づけまいとした。

盗賊だなんて。昼間なのに。家のなかに人もたくさんいるのに。

定家《ていか》さんの日記には、貴族《きぞく》の屋敷《やしき》から衣《ころも》がぬすまれたことが、いくつも出てくる。とめようとして、放火されたとか、書いてあった。

為氏がとってかえし、自慢《じまん》の刀をにぎりしめてきた。

「これだ。これで」

「まさか、それで抵抗《ていこう》しようっていうんじゃないよね」

刀が一本あったところで、どうにもならない。

泰綱《やすつな》さんがよこしてくれた武者《むしゃ》だって、盗賊があんなにたくさんいては相手ができない。まして、人とあらそったことのない為氏が、かなうはずがない。

そんなことは、為氏だってわかっていて、刀を強くにぎりしめたものの、飛びだすのをためらっている。

「むりだよ。あぶないよ。やめたほうがいいって」

必死にとめる。ところが為氏は、かえってかたくなに、前に出ようとした。

「そのために刀を手に入れたんだ。盗賊《とうぞく》に入られてたまるか。ここにはだいじなものがたくさんあるんだ。あいつらには価値《かち》がわからないものが。荒《あ》らされてはならないし、火でもかけられたら、ぜんぶ灰《はい》になってしまう」

ああ、そうだ。定家《ていか》さんがあつめた書物、書きためたたいせつな本――。

守らなきゃいけない。でも、為氏《ためうじ》が刀をふりまわしたって、けがをするだけ。

「だめだって」

「はなせ」

「ふたりとも、さがっていなさい」

定家さんだった。女房《にょうぼう》にささえられ、やってくる。

「おじいさま」

為氏がかけよる。

「おまえは、そのぶっそうなものをしまいなさい」

そういいおいて、門にむかう。定家さんの足取りはおぼつかない。なのに、むきあう人をひるませる風格《ふうかく》がある。

門のすきまに肩《かた》を入れていた盗賊が、動きをとめる。そこに定家さんは声をかけた。

「よそに行きなさい」

おだやかだけど、一歩もひかない声だった。

「ここには、おまえたちのよろこぶものはなにもない。あるのは、庭木と紙だけじゃ」

盗賊《とうぞく》は、なにをいいだすのかと、動きをとめる。

定家《ていか》さんはにっこりと、おどけてみせた。

「なにもなくて、人のよりつかぬ家じゃ。こんなところに入るのは時間のむだ。むかいの屋敷《やしき》のほうがよいぞ。となりの家も、うちよりましじゃ」

いやちょっと、いくらなんでも、となりに入れとすすめるなんて。

でも、定家さんは必死に守ろうとしている。

為氏《ためうじ》は刀を手に、くやしそうに見ている。力ではかなわない。でもなんとか、追いかえしたい。

為氏の顔を見ていて、あっとひらめいた。廊下《ろうか》を走り、女房《にょうぼう》にたのんで紅《べに》を借りる。

「為氏、ちょっとこっち見て」

ふりむく為氏《ためうじ》の顔に、紅《べに》と墨《すみ》をつける。赤黒いつぶつぶを顔じゅうにかいていく。

「なにをする」

「動かないで。為氏は、疫病《えきびょう》なんだよ。疱瘡《ほうそう》っていったっけ？」

薫《かおる》が紙のはしにかいてくれた疱瘡の絵。屋敷《やしき》に病人がいると、人がよりつかないと、為氏がいっていた。

耳までぶつぶつをかくと、為氏をひっぱって門にむかう。

「定家《ていか》さん」

ふりむいた定家さんが、目をむいた。盗賊《とうぞく》も、こっちを見てぎょっとしている。

「うちには、病気の人がいるよ。疱瘡なんだよ」

為氏もやっと心得《こころえ》て、わたしのうしろで、苦しそうにして見せる。

「わっ」と、いちばん近くの盗賊がはなれた。ほかの人たちも、いっせいにはなれる。ひとりがにげだすと、みんなあとを追ってにげていった。

門のなかでは、みんなほっとしていた。女房《にょうぼう》がへたりこんだ。定家さんが苦笑いしている。

「もしお。そなた、むちゃをして……」

「定家《ていか》さんほどじゃないですよ」

肩《かた》をかして、家のなかにもどる。

下男は武者《むしゃ》といっしょにとびらをしっかりしめ、召使《めしつか》いももどっていく。為氏《ためうじ》だけが役に立たなかった刀を、じっと見つめているのだった。

十二

とびらをひらいて

あの日をさかいに、定家《ていか》さんは元気になった。隠岐《おき》の院《いん》のことで落ちこんで、筆をもつ気にならなかった数日をとりもどすべく、せっせと色紙《しきし》を書いている。一枚《まい》書きおえ、為氏《ためうじ》にわたす。為氏は、かわかしておく棚《たな》にのせる。わたしは定家さんの肩《かた》をもんだ。

定家さんはきもちよさそうに目をとじ、ふっと口ずさんだ。

　宮城《きゅうじょう》の衰微滅亡《すいびめつぼう》、年を逐《お》い日を逐い、形をあらわす。悲しきかな、悲しきかな。

「日記ですね。定家《ていか》さんの」

読みましたというと、定家さんはふわりと笑った。

「八年前の火事で、帝《みかど》のすまう内裏《だいり》がすべて焼けてしまった。京の中心であるべき建物なのに、それきりいまもって再建《さいけん》されぬ。六波羅《ろくはら》は建物が建ちならび、栄えておるというのに……な」

定家さんはさみしそうに息をはいた。

「武家《ぶけ》が栄え、力がものをいう時代となりひさしい。昔のかがやきは、もはやもどらぬのかもしれぬ」

もういいというので、背中《せなか》からはなれる。

定家さんは、ゆっくりていねいに墨《すみ》をすった。そして、声を強くした。

「だからこそ、この色紙《しきし》のなかに、とどめておくのだ。京の長い時の流れを。宮殿《きゅうでん》に集《つど》う人びとの、はなやかないとなみを。京に生き、よろこび、なげき、恋《こい》をした者たちの思いを。わたしが、書きとどめる。すぎさったときも――。嵯峨中院《さがちゅういん》の障子《しょうじ》にかざられ、すえながく、いつまでもしのばれる」

じっときいていた為氏《ためうじ》がいった。

「わたしも、その一助になりたい。おじいさまが守ったものを、わたしもずっと守り、伝えていきます」

あれから為氏《ためうじ》は刀を手ばなし、古今和歌集《こきんわかしゅう》をとりもどした。

定家《ていか》さんは為氏が生まれると、まだ文字の読めない孫のために、古今和歌集を書きうつした。為氏に歌の家をささえ守り、ますます栄えさせてほしいとねがって。

八百年たっても――。

嵯峨中院《さがちゅういん》の建物はないけれど、色紙《しきし》もちりぢりになって、ほんものかどうかわからなくなっているけど、定家さんがえらんだ歌は、その思いのとおり、すえながく、みんなに愛されてますよ――と思いながら、わたしもにっこりする。

定家さんは、こほんとせきばらいした。

「であるから――隠岐《おき》の院《いん》も佐渡《さど》の院《いん》も、色紙に入れることに決めたぞ。鎌倉《かまくら》どのや関白《かんぱく》さまのための歌集ではない。わたしが好きにえらぶのだ。かざるかどうかは、蓮《れん》生《しょう》どのが決めればよいことじゃ」

すっきりした顔でそういって、ふと考えている。

「とはいえ、蓮生どのを、あまりこまらせてもいかんな。隠岐の院と佐渡の院をはずしても、色紙《しきし》を百枚《まい》かざれるように、もう幾首《いくしゅ》か歌をえらぶとするか」

為氏《ためうじ》がすかさず、のこりの紙をかぞえた。

「紙の余裕《よゆう》はあります」

紙はきっちり百枚ではなく、余分にとどいている。

「それなら、まだ入れられるな。まよってはずした歌がたくさんある」

そういう定家《ていか》さんは、とてもうれしそうなのだった。

定家さんがえらんだ隠岐《おき》の院《いん》の歌はこうだ。

人もをし　人も恨《うら》めし　あぢ《(じ)》きなく　世を思ふ《(う)》ゆゑ《(え)》に　もの思ふ《(う)》身は

人がいとしく思われ、また恨めしくも思われることです。つまらなく世を思うことから、もの思いをしているわたしには。

後鳥羽院《ごとばいん》がまだ京にいたときの歌だ。鎌倉幕府《かまくらばくふ》のいきおいがましていくことへの憤《いきどお》りや、うつうつとした気持ちが、こめられているのかも知れない。

嵯峨中院《さがちゅういん》の障子《しょうじ》にはる色紙《しきし》が、書きあがった。

定家《ていか》さんにかわり、為氏《ためうじ》の父と為氏が、蓮生《れんしょう》さんにとどける。わたしと薫《かおる》も、お供《とも》させてもらうことになった。

朝からよく晴れて、暑くなりそうな日だった。

定家さんは庭に出ていた。色紙を完成させ、すがすがしそうだ。すずしい木陰《こかげ》に入り、桃《もも》の実《み》が大きくなってきたと、うれしそうにいう。

「いずれ、なし、りんご、柑子《こうじ》（日本で古くから栽培《さいばい》されたみかん、こうじみかん）もなる。どれも食べられるぞ。楽しみにしておれ」

実のなる木が多いなあと思っていたけど、やっぱり食べるためなんだ。花もきれいだったけど。

「楽しみですね。定家さん」

定家さんはうんうんと目じりをさげた。

「道中、気をつけるのだぞ」

「はい。行ってきます」

わたしは名残《なごり》おしく、定家さんをふりかえった。

為氏《ためうじ》とふたり、牛車《ぎっしゃ》に乗った。武者《むしゃ》が馬でついてくる。途中《とちゅう》で薫《かおる》を乗せることになっている。いそがしい為氏の父とは、嵯峨《さが》の別邸《べってい》で合流する。

からからと気持ちのいい音を立てて、牛車は進む。わたしは為氏に話しかけた。

「そういえば、為氏とふたりで牛車に乗るの、はじめてだね」

「冷泉《れいぜい》の屋敷《やしき》に行ったときは、歩きだったか」

「うん。四条町《しじょうまち》を歩いて、お店をのぞいたね」

「あのときは、扇《おうぎ》を買いもとめそびれたな。気にかかっていたのだが」

わたしは、いいよと首をふる。

「いろいろ見て、楽しかったよね。嵯峨に行ったときは、為氏は馬だった。あれ、わりとさまになってたし、たのもしかったよ。わたしが、日吉社《ひえしゃ》に落っこちてきたときは、京までいっしょに歩いてくれた」

為氏は、警戒《けいかい》するようにわたしを見た。

「いま、そのような話をするのは……」

「わたしも、きちんといいたくて。為氏にはとても親切にしてもらった。おかげで、はじめての京で、いろんな意味で迷子《まいご》にならずにすみました」

為氏《ためうじ》は口をむすぶ。ぎゅっと眉《まゆ》をよせ、わたしの次の言葉をまっている。

「きょう帰ります。こぬ人をが、道の途中《とちゅう》で迎《むか》えに来てくれることになってる。日《ひ》吉《え》社《しゃ》に行けば、日吉の神がおくってくれると思う」

「……わかった」

しばらくだまったあと、為氏はうなずいた。なにもいわずに送りだしてくれる。

きっと、そうしようと決めていたんだ。

やがて牛車《ぎっしゃ》は信実《のぶざね》さんの屋敷《やしき》につき、薫《かおる》が乗りこんできた。

薫にもひと目会いたくて、きのう手紙でうちあわせた。きょう旅立つことも伝えてある。

ただ、身代わりをおいてもどってこようと考えていることは、為氏にはだまっててくれるよう、おねがいした。もどってこられなかったときにつらいから。

「ごきげんよう、為氏さま。文《ふみ》をありがとう、もしおさま」

「こちらこそ、来てくれてありがとう」

牛車はふたたび動きだした。

薫は、わたしにむかいあう場所にすわり、しみじみといった。

「行く前にお会いできてよかった。さみしいけれど、これもさだめなのね」

「さだめなどと、かんたんにいうのだな」

為氏《ためうじ》が不服そうにもらす。それをきいた薫《かおる》は、秘密《ひみつ》をかくすようにほほえみ、歌を口ずさんだ。

天《あま》つ風《かぜ》　雲のかよひぢ《（いじ）》　ふきとぢ《（じ）》よ　を《（お）》とめのすがた　しばしとどめむ《（ん）》

空をふく風よ、雲のなかの通《かよ》い路《じ》をふきとざしてください。舞《ま》いおわって帰っていく美しい天女《てんにょ》たちのすがたを、もうしばらくとどめておきたいから。

定家《ていか》さんがえらんだ色紙和歌《しきしわか》に入っている、僧正遍昭《そうじょうへんじょう》の歌だ。

「もしおさまは天のおとめと、為氏さまはおっしゃったわ」

「天から来たとはいったが……」

為氏が気まずそうに口ごもると、薫はたたんだ扇《おうぎ》をとりだした。

「たのまれていた、もしおさまの扇です」

為氏はうけとり、つぶやいた。

「手間をかけた。いまさらわたしても、役に立たなくなってしまったな。天では使わぬだろうから」

「そんなことはないと思うわ」

薫《かおる》は、わたしとこぬ人をがもどってくると、信じてくれている。だから、ほがらかにいう。

「為氏《ためうじ》さまが字を、わたしが絵をかいたの」

薫にうながされて、為氏が扇《おうぎ》をさしだした。わたしはよろこんでうけとった。

「うれしい。ふたりとも、ありがとう」

ひらいてみようとして、思いなおした。胸《むな》もとにしっかりとおさめる。

「あとで見るよ。わたしも、為氏にプレゼントがあるんだ」

薫の絵に、わたしが文章を書いた松浦宮物語《まつらのみやものがたり》の絵巻《えまき》だ。うら側には、いろんなもようの紙をつないで、絵巻に仕立てた。ところどころ、わたしと為氏の絵も入っている。

為氏とふたりでつくった絵巻だ。

「薫も見てね」

まずは薫にわたす。ひろげてみた薫は、ころころと笑った。

「すてき。これこそ、だれも見たことのない物語ね」

牛車《ぎっしゃ》は軽快《けいかい》に走っている。京をはなれ、ゆるやかな山道に入る。のどかな景色がつづき、やがて小倉山《おぐらやま》が近づいてくる。

為氏《ためうじ》は気がかりそうに、ちらちらとこっちを見る。わたしは道のさきを見た。そろそろ、こぬ人をが来るはず。

薫《かおる》は絵巻《えまき》をまきとり、わたしにもどしてくれた。

「公主《こうしゅ》の絵もあるのね。よく似《に》ていると、父さまにいってもらえた、もしおさまの似せ絵の」

「うん。このなかに、わたしがいるんだ」

わたしは絵巻を為氏にさしだした。

「これは、もしおどのがもっていくのだと思っていた」

とまどう為氏のひとみを、しっかり見つめていう。

「為氏にもっててほしい。ほんとうはこわいんだ。もう二度と、為氏に会えなかったら……そう思うと、足がすくんでしまう。だから、絵巻をひらいて。ちょっとのあいだ、わたしを思ってて」

こまっているときに、手をとって立ちあがらせてくれた。どうしていいかわからなくなると、背《せ》をおしてくれた。

「為氏《ためうじ》がいてくれるから、勇気をもてる。ありがとう、大好きだよ」

そういうと、わたしはうしろのすだれをあげ、牛車《ぎっしゃ》から飛びおりた。

ひづめの音が近づいていた。

馬に乗ったこぬ人をが、衣《ころも》のそでをひるがえし、さっそうとやってくる。僧侶《そうりょ》のすがたがほんとうによく似《に》合《あ》って、むやみにかっこいい。

馬は、あわててとまった牛車とすれちがった。

速度をゆるめ、こぬ人をが手をのばした。それにつかまり、わたしは馬の背に乗った。すぐに速度があがる。

牛車から身を乗りだし、為氏がさけんだ。

「行くな、もしおどの」

ふりかえる。言葉とすがたを胸《むね》にきざむ。帰るための道しるべに。

すだれをかきあげた薫《かおる》が、ほおに手をあてている。

「ああ、もしおさま、なんてすてきなの……。絵にする。わたし、絵にかくわ。さらわれた姫君《ひめぎみ》のお話？　ううん、姫君は思いびとにわかれをつげて、みずから波乱《はらん》に飛びこんでいくの」

　ふたりは遠ざかり、やがて見えなくなった。

　そのまま、馬を飛ばして道をもどり、さらに東の日吉社《ひえしゃ》にむかった。

「派手《はで》で強引な退場《たいじょう》だったな」

　こぬ人をが馬を走らせながら、おかしそうにしている。

「馬が借りられるから、きょうにしようって、こぬ人をがいったんだよ」

　きのうとつぜん、こぬ人をから連絡《れんらく》が来た。

　絵の仕事がひと段落《だんらく》し、信実《のぶざね》さんから、嵯峨《さが》の蓮生《れんしょう》さんへの使いをたのまれた。馬が借りられることになったから、いそいで使いをすませて、もどってくる。だから、あす決行しよう――と。

　急にいわれて、薫《かおる》とのうちあわせや、支度《したく》でたいへんだった。心の準備《じゅんび》もなにも、あったものじゃない。

だけど、まよう時間もなくて、かえってよかったかも知れない。

（いうつもりじゃないことまで、いっちゃったけど）

思いだすと、顔がほてる。でも、気持ちは晴れやかだ。いまならなんでもできそうな気がする。

風に顔をむける。田んぼのつづく道だ。青あおとした稲《いね》が、風になびいている。京の東にある山が近づいてくる。

「馬が使えて、助かったよ。日吉社《ひえしゃ》まで歩くとたいへんだもの。せっかくだから、いそがなくちゃね」

「そうしよう」

日吉社への山道も、馬ならはやかった。

途中《とちゅう》で馬をおりて、参道《さんどう》をいそぐ。京の人びとが信仰《しんこう》する神さまだ、きょうもたくさんの人が行きかっている。

社《やしろ》の前に出ると、こぬ人をはふたつの紙片《しへん》をとりだした。

藤原定家《ふじわらのていか》のすがたをえがいた読みふだと、わたしが文字を書いた取りふだ。うらにはった紙やふちどりは、もとのかるたとおなじ色ともようにしてある。わたしが書いた文字も、似《に》ているはず。

　こぬ人をがかいた絵は？　とのぞきこんで、思わず声が出た。

「わっ、定家《ていか》さんそっくり」

　ポーズや服装《ふくそう》はかるたの絵とおなじ。ぱっと見、もとのかるただ。でも、顔は定家さんそのものだった。髪《かみ》や目のほそい線を、繊細《せんさい》に緻密《ちみつ》にえがいてある。そのせいか、とても生き生きとして見える。

「定家卿《きょう》の実物を見てしまうとな」

「かるたのみんなも、定家さんに会わせてあげたいね」

　これを、わたしたちのかわりに、資料館《しりょうかん》においてくる。うまく行きますようにと、社《やしろ》にむかい手を合わせる。こぬ人をもとなりで、おなじようにした。

（神さま、ねがいをかなえてくださってありがとうございます。こぬ人をつれて帰ります）

　社の前は、人の行き来がとぎれないのに、わたしたちのまわりだけ、しんとしずかになった。だれもいなくなったみたいに、社殿《しゃでん》をかこむ木立《こだち》が、風にさわさわと鳴る音だけがする。

目をぎゅっととじてまつ。

ふいに、背中《せなか》を強くおされた。思わず目をあけると、社《やしろ》のとびらがせまっていた。

わたしたちの前で、ぱっとひらく。

いきおいのまま、くぐりぬける。うす暗い廊下《ろうか》だ。すぐそこに、もうひとつとびらがある。

「行こう」

こぬ人をと手をつなぐ。ふたりで走って、次のとびらをひらいた。

夕暮《ゆうぐ》れのような、赤みのある金の光がさす。

そこは嵯峨中院《さがちゅういん》、蓮生《れんしょう》さんの屋敷《やしき》の広間だった。

定家《ていか》さんの色紙が、障子《しょうじ》にはられている。次つぎと客人がおとずれる。人びとは色紙に書かれた歌に、歌人の絵に感心し、歌をえらんだ定家さんをほめる。

わたしとこぬ人をは、それを見ている。現実《げんじつ》の広間にいるんじゃない。これからさきのできごと、いつかあったできごとを、見ているだけだとわかる。

時間の進みかたが、一定していない。ときに早回しのように進み、どんどん見えるものが入れかわる。

蓮生《れんしょう》さんのすがたがなくなり、為氏《ためうじ》の父が嵯峨中院《さがちゅういん》のあるじになる。為氏の父は、色紙《しきし》の歌を冊子《さっし》に書きうつしている。

時が流れる。

色紙にかかわった人たちはいなくなり、嵯峨中院も、定家《ていか》さんの別邸《べってい》も、人手にわたった。色紙の行方《ゆくえ》はわからなくなった。

百枚《まい》の色紙はわすれられ、長い時がたった。

廊下《ろうか》を走り、次のとびらをひらく。

ふたたび光があたったのは、二百年以上あとのこと。室町《むろまち》時代に連歌師《れんがし》、宗祇《そうぎ》が小《お》倉《ぐら》色紙として世に出した。

その後、茶会でかざられ、貴重《きちょう》なものとしてめずらしがられた。高値《たかね》でやりとりされ、にせものが出まわるようにもなる。

そのころには、色紙とはべつに、百人一首を書きうつした本もふえた。

わたしとこぬ人をは、どんどんとびらをひらいていった。

百人一首がかるたになり、たくさんの人にしたしまれるようになったのは、それよりさらに何百年もたった江戸《えど》時代から。

木版印刷《もくはんいんさつ》（木に絵や字を彫《ほ》って印刷する）もあたりまえになって、いままでよりずっと多くの人の手にわたった。

百人一首の本は、歌の教科書や、習字のお手本になったり、貴族《きぞく》や大名《だいみょう》の嫁入《よめい》り道具のひとつになったりもした。

そして、庶民《しょみん》も気軽に手にするものになる。明治《めいじ》時代からは、かるたの競技会《きょうぎかい》もひらかれる。とびらがつづく。

そしていま——。

多くの人は、まず百人一首かるたから、和歌にふれる。平安《へいあん》の世のことを、のちまでずっと伝えたいという、定家《ていか》さんのねがいは、まちがいなくかなっている。

ふたりでおした、最後のとびらのむこうには、それまでとはちがう光があった。

十三

再会《さいかい》と歌合《うたあわせ》

木《こ》もれ日《び》が、石畳《いしだたみ》にあかるく落ちている。風がすずしい。杉木立《すぎこだち》にかこまれたここは、村の日吉神社《ひよしじんじゃ》だ。帰ってきた。

わたしとこぬ人をは、拝殿《はいでん》の上に立っていた。階段《かいだん》の下に、手を合わせて祈《いの》る人がいる。

「凪《なぎ》さん⁉」

思わず声をあげると、凪さんはぎょっと目をあげた。

わたしもびっくりした。凪さんにわたしの声がきこえた。

こぬ人をの手をつかんだまま、いそいで階段をおりる。

「お参りのじゃまをして、すみません」

「いえ……」

凪《なぎ》さんは、とまどった顔でわたしたちを見た。それはそうだろう。神さまがいるはずのところから出てきたんだもの。不審者《ふしんしゃ》と思われてもおかしくない。

「とびらが勝手にひらいたんです。神さまがひらいたっていうか。ええっと、資料《しりょう》館《かん》に行こうと思ったんですけど、まよっちゃったみたいで」

あわてた説明が、よけいにあやしい。わたしがあせっていると、凪さんはなにか思いついて、あっと声をあげた。

「その衣装《いしょう》は、もしかして歌合《うたあわせ》に参加するためですか？」

わたしとこぬ人をは、ぱっとたがいを見た。僧衣《そうい》と水干《すいかん》、むこうのままのかっこうだ。

こぬ人をは自分のようすをたしかめ、顔をかがやかせた。

「人になったままだ。このままでいて、いいということだ」

いわれて、わたしももう一度、自分を見下ろした。手や足がある。歩けるし、声は凪さんにとどいている。

人でいる。かるたにもどっていない。ふだになってしまったら、なにもできないところだった。ほっと胸《むね》をなでおろす。

いそいで拝殿《はいでん》をふりあおぐ。とびらはひらいたままだ。日吉社《ひえしゃ》につながる、うす暗い廊下《ろうか》も見える。

「もどれるな……」

こぬ人をはつぶやいて、凪《なぎ》さんに笑顔《えがお》をむけた。

「じつはそうなんです。歌合《うたあわせ》のために趣向《しゅこう》を凝《こ》らしました。会場は資料館《しりょうかん》ですか？」

「やはり、そうでしたか。百人一首かるたの絵には、お坊《ぼう》さんもおおいですよね」

凪さんは気をとりなおして、わたしたちを導《みちび》いた。

「会場は公民館ですが、なかでつながってますから、資料館からどうぞ」

「いそごう」

こぬ人をが追いたてる。小走りに、凪さんについていく。

資料館の入り口には、「百人一首展《てん》」の看板《かんばん》が立っていた。その横に「本日、村民歌合」と墨《すみ》で書いた紙がはってある。

わたしはかけよった。

「わあ、はじまったんだ、百人一首展《てん》」

凪《なぎ》さんがうなずいた。

「きょうからです。無事にできますようにと、日吉神社《ひよしじんじゃ》にお参りしていました」

「――でも、こぬ人をのふだは？」

凪さんは足をとめ、申しわけなさそうにいった。

「ごぞんじでしたか。大さわぎしたから、村じゅう、みんな知ってますよね。見つからないままです。取りふだもです。村の宝《たから》をなくしてしまって、すみません」

「ふだがなくなったのは、凪さんのせいじゃないです」

力をこめていったけど、凪さんは首をふった。

「館長もそういってくださいました。でも、なくしてしまったのは事実なので、責任《せきにん》をとらなくては」

それじゃあ、やっぱりやめちゃうんだ。たいへんだ。

こぬ人をがたずねた。

「佐藤《さとう》さんの百人一首かるたの展示《てんじ》は、どうされたんですか？」

「もちろん、今回の目玉です。定家《ていか》のふだがないので、後鳥羽院《ごとばいん》のふだを、よく見えるところに。あと、文字ふだもふくめて全点、入れかえ制《せい》で展示《てんじ》します。何度も足をはこんでくださいね」

凪《なぎ》さんはにっこりすると、「歌合《うたあわせ》はもうじきはじまります。わたしは準備《じゅんび》がありますので」と小走りではなれていった。

いそぎ足で展示室に進む。天井《てんじょう》が高く暗くした部屋のまんなかに、スポットライトがあたった展示ケースがある。たまたまなのか、歌合がはじまる時間だからか、ほかにだれもいない。

近づくと、むこうでも気づいて、ざわめきが広がった。

やくやもしおだ。こぬ人をだ。と、かるたたちがいっている気配がする。

中央にいる読みふだにかかれた後鳥羽院――隠岐《おき》の院《いん》が、じっとこっちを見ている。横には、取りふだの「世を思うゆえに」と、家隆《いえたか》さんの取りふだ「みそぎぞ夏の」がいる。

「みんな、おそくなってごめん。こぬ人をつれてきたんだけど……。ごめんなさい。すぐに行かなくちゃ。わたしたち、やりたいことがあるんだ」

みんながいっせいにざわめいた。それはわかるのに、なんていってるかわからない。わたしがふだじゃないからだ。でもきっと、みんなおこってる。

こぬ人をが、もってきたかるたを、展示《てんじ》ケースの上にならべた。

「かわりに、この二枚《まい》をおいていく。これで問題ないはず」

大きさも、絵の感じも、ほかのふだとおなじ。思ったとおり、見分けがつかない。

「よし、そっくりだ」

こぬ人をは満足そうだ。わたしはまだ不安できさかえした。

「ほんとうにこれで、凪《なぎ》さんはやめずにすむかな。落ちてましたって、もっていったほうがいいんじゃない？」

こぬ人をは、もう出口にむかっている。

「どこでひろったのかときかれたら、説明できないだろう」

「時間がない。もどれなくなるぞ」

そういわれて、わたしもあわてて外に出た。

日吉神社《ひよしじんじゃ》は垣根《かきね》のむこうだ。あいだにある駐車場《ちゅうしゃじょう》を走っていると、凪さんが追いかけてきた。わたしたちがおいてきたかるたをもって、手をふっている。

「まってください。これ、あなたがたがおいたんですよね」

「立ちどまるな」

こぬ人をがするどくいう。ふりかえりかけていたわたしは、あわてて足をはやめた。

境内《けいだい》にかけこむ。社《やしろ》のとびらはまだひらいている。

「まにあった」

こぬ人をがいって、とびらへのみじかい階段《かいだん》をかけあがる。ついていこうとして、つんのめった。水干《すいかん》のそでをつかまれている。凪《なぎ》さんだ。

「まって。このかるた、どうしたんですか」

わたしはふりかえってさけんだ。

「これで二百枚《まい》そろいますよね。だから凪さん、資料館《しりょうかん》をやめないで」

「……わたしのために？」

凪さんはおどろき、はっとわたしを見返した。

「どこかでお会いしたことがある？」

「やくやもしおの、はやく」

こぬ人をが階段の上からよぶ。とびらのなかが暗い。いそがないと、とじてしまう。

「ごめんなさい。行かなくちゃ」

わたしはそでをひっぱりかえし、階段《かいだん》をかけあがった。こぬ人をが、とびらをくぐる。凪《なぎ》さんが声を高くした。

「心配してくださって、うれしいです。でもこれ、ちがうかるたです」

思わず、ふりかえる。

「これも、とても古いものみたいですけど、佐藤《さとう》さんのかるたは、明治《めいじ》のころに外国から入ってきた、あたらしい絵の具が使われてるんです。発色があざやかな絵の具です。このかるたとは、赤や青の色がちがいます」

「えっ、そうなの？」

絵の具はたしかに、おなじじゃない。鎌倉《かまくら》時代に明治《めいじ》の絵の具はないから。でも、わからないくらい似《に》てると思ったのに。ひと目で気づくなんて、さすが凪さんだけど。とびらをくぐったこぬ人をは、もう見えなくなっている。

わたしはためらった。にせものだとばれた。行ってしまっては、けっきょく凪さんはこまったままだ。

そのとき、しまりかけたとびらに、内側からだれかが手をかけた。こぬ人をがもどってきてくれたのかと思ったのに、ちがう。

為氏《ためうじ》だ。すきまをすりぬけてくると、わたしを見つけた。

「もしおどの！」

そのとたん、とびらがばたんととじた。

音が消えた。

為氏がなにかいっているのに、きこえない。

わたしも、為氏の名をよんだのだけど、声にならなかった。足に力が入らない。からだがかたむいて、そのままたおれる。

為氏がとっさにのばした手が、空を切る。階段《かいだん》の下の地面がせまる。

痛《いた》みを、こらえようとした。だけど、衝撃《しょうげき》は来なかった。わたしは、ぱたりと地面に落ちた。

かるたのすがたで。

音がもどった。

凪《なぎ》さんの足もとに落ちたようだ。

「女の子はどこ……？　たおれて、階段から落ちそうだったのに、消えちゃった？」

凪《なぎ》さんは食い入るようにわたしを見つめ、ひろいあげた。

「やくやもしおの身もこがれつつ……」

わたしのくずし字を、さらさらと読めるのも、さすが凪さんだ。そしてすぐに気づく。

「これ、佐藤《さとう》さんのかるた。ここでなくした、取りふだだ。どうしていまごろ、これがここに？　あの子が消えて、これがかわりに……？」

為氏《ためうじ》が、階段《かいだん》をおりてくる。階段の下に落ちている扇《おうぎ》をひろいあげる。牛車《ぎっしゃ》のなかでもらった、わたしの扇だ。たおれたときに落としたみたい。

為氏は嵯峨《さが》にむかったはずだった。薫《かおる》には、わたしのかわりに蓮生《れんしょう》さんのところへいっしょに行ってと、たのんでおいたのに。

あのあと、すぐに追いかけてくれたのかな。その上、わたしたちが通った道を、見つけてくれた。

（うれしいけど、どうして来ちゃったの？　とびら、しまっちゃったよ？　わたしはしかたないけど、これじゃ、為氏まで帰れない）

やっぱり声にならなかった。きこえるわけがない。こんなところ、見られたくなかったな。かるたにもどっちゃうところなんて。

ところが為氏《ためうじ》は、まるでわたしの声がきこえたみたいに、ほっとした顔をした。

「やはり、もしおどのだな」

そして、凪《なぎ》さんにむかい、手をさしだした。

「もしおどのを、かえしてほしい」

凪さんはたちまち警戒《けいかい》した。むりもない。またしても、かわった服装《ふくそう》の人物があらわれたのだ。手にしたふだを守るように身をひく。

「どうしてあなたに？　これは資料館《しりょうかん》のかるたです」

為氏は考えこむように、凪さんの手もとを見た。いや、わたしを見ている。

「薫《かおる》どのを問いつめてきいた。身代わりを立てるのだと。うまく行かなかったのか」

どう見たって、わたしに話しかけてる。わたしは、凪さんの手のなかで、気まずく
「うん」という。

「それはこまったな」

為氏は、凪さんにていねいに話した。

「どうか、身代わりのふだと、とりかえてほしい。もしおどのは心をこめてつくって

いた。ほんものと遜色《そんしょく》ないはずだ。あなたも見たように、ここではふだになってしまうが、あちらにもどれは、人として歌を学ぶことができる。もしおどのは、わが祖父《そふ》、定家卿《ていかきょう》の弟子《でし》なのだ」

凪《なぎ》さんは、ますます困惑《こんわく》している。

「定家の弟子？　歌？　ちょっとまって……」

凪さんがこめかみに指をあてたとき、資料館《しりょうかん》とのあいだの垣根《かきね》の上に、館長が顔をのぞかせた。

「ああ、いた、いた。そんなところで、どうしたんです。歌合《うたあわせ》がはじまりますよ」

館長の声に、凪さんはわれにかえった。

「すみません、いま行きます。――とにかく、かるたはわたせません。しつれいします」

早口でいって、歩きだす。為氏《ためうじ》は興味《きょうみ》をひかれたようだ。

「天にも歌合があるのか。わたしも参加できるだろうか」

凪さんが眉《まゆ》をよせ、館長はあかるくこたえた。

「どうぞ、どうぞ。百人一首ができたころは歌合がさかんだったそうです。そのかっこう、ぴったりですね」

（ちょっと、為氏《ためうじ》。のんびり歌合《うたあわせ》なんて見てて、帰れなくなったらどうするの。わたしはいいから、早く帰って）

日吉神社《ひよしじんじゃ》からはなれるほど、帰れなくなるんじゃないかと、気が気じゃない。

わたしはもう、あちらには行けない。身代わりのふだのことがばれてしまった以上、せめてわたしだけでものこるべきだ。もともと、身代わりでごまかそうというのが、ずるい考えだった。もしも凪《なぎ》さんがやめてしまったら、こぬ人をの分も、みんなにあやまろう。

悲壮《ひそう》な決意をしていると、為氏が語りかけてきた。

「案ずるな。わたしがかならずつれて帰る」

凪さんが、気味悪そうに為氏をふりかえる。もっていいのか、というように、わたしに目をやる。歌合の開始時間がすぎていて、わたしが見つかったことを、館長に話すひまもない。

凪さんと館長は資料館《しりょうかん》から入り、佐藤《さとう》さんのかるたを展示《てんじ》ケースから出した。歌合にもっていくようだ。

為氏《ためうじ》は、めずらしそうにあたりを見ながらついてきた。途中《とちゅう》でくすっと笑う。

「これでは、もしおどのが、はじめて京極《きょうごく》の屋敷《やしき》に来たときと、おなじだな」

会場は公民館の広い会議室だった。参加者がそろって、まっている。

凪《なぎ》さんたちは、正面のホワイトボードの前にすわった。かるたは、テーブルの上にいくつかに分けてつまれた。

あいさつのあと、凪さんが歌合《うたあわせ》の説明をした。緊張《きんちょう》しているのか、わたしをもったままだ。

歌合は平安《へいあん》時代から鎌倉《かまくら》時代のはじめのころ、さかんにおこなわれた。左右に分かれ、題にそって詠《よ》んだ歌を左右一首ずつ組み合わせて、優劣《ゆうれつ》を競う。歌を詠みあげる講師《こうじ》、左右それぞれの歌の味方をする方人《かたうど》、勝負を判定《はんてい》する判者《はんじゃ》などがいるという。

「それぞれ自作の歌で、とも思ったのですが、それはハードルが高いということで、今回は百人一首のなかから、おすすめの一首をえらんでいただき、その歌のよさを語っていただいて、みなさんの投票で勝負を決めたいと思います」

正面のホワイトボードに対して、長テーブルが左右にむかい合わせでおかれていた。そのうしろと、部屋のむこう側には、見学の人たちがいる。年齢《ねんれい》は高めな感じ。

今月の
イベント
村民歌会

長テーブルについているのは、それぞれ四人だけで、見学もぱらぱらしかいない。大盛況《だいせいきょう》というわけではないみたいだ。

館長がマイクをかわる。

「講師《こうじ》はわたしがつとめさせていただきます。それと、飛び入り参加のかたがいらっしゃいます」

為氏《ためうじ》がちゃっかり左側の五人目にすわっていた。狩衣《かりぎぬ》すがたの為氏に、ほかの人たちからほう、と声があがる。人数合わせで、凪《なぎ》さんがむかいの席につくことになった。

凪さんは、わたしをほかのかるたといっしょにおいていった。

かるたのみんながざわめいた。今度はちゃんときこえる。「いままでどうしていたの」「無事でよかった」と、せめられるのではなく、心配してくれている。

わたしはとにかく、あやまった。

「ごめんなさい。こぬ人をは行っちゃった。もうもとの二百枚《まい》にもどらない。凪さんがやめてしまう」

「いやいや、もうそのようなことではない」

家隆《いえたか》さんの「みそぎぞ夏の」がいう。

「凪《なぎ》さんは、この展覧会《てんらんかい》を成功させることで、なくしたふだの責任《せきにん》をとろうとしている。歌合《うたあわせ》もその工夫のひとつなのだが……」

「期待したほど、人があつまっていませんわ」

「歌合など耳なれぬから、むずかしいと思われたのでは」

「初日なのに、資料館《しりょうかん》の見学者もあまりいない」

ほかのふだも、それぞれにいいはじめる。

「しずかにせぬか」

と、するどくいったのは、後鳥羽院《ごとばいん》の取りふだ「世を思うゆえに」だった。

「しずかに。歌合がはじまる」

右側の人からだ。

最初にすわっているご婦人《ふじん》がえらんだのは、崇徳院《すとくいん》の「瀬《せ》をはやみ」だった。

館長が、かるたをとって読みあげる。

瀬をはやみ　岩にせかるる　滝川《たきがわ》の　われてもすゑ《(え)》に　逢《あ》はむ《(わん)》とぞ思ふ《(う)》

川の流れがはやいので、岩にせきとめられる急流がふたつに分かれても、いずれはひとつになるように、いまはひきはなされて逢《あ》えなくても、のちにはまた逢おうと思っています。

恋人《こいびと》たちが、ひきはなされてもいつかまたかならず逢おうと誓《ちか》う。運命的でせつない人気の歌だ。

ご婦人《ふじん》は、中学生のころ、この歌を題材にしたマンガを読んで感動し、それが百人一首に興味《きょうみ》をもったきっかけなのだと話した。いまでは村の短歌クラブで、短歌の勉強をしているとも。

対する、左側の男性《だんせい》は、山辺赤人《やまべのあかひと》。

田子《たご》の浦《うら》に　うち出《いで》てみれば　白妙《しろたえ》の　富士《ふじ》のたかねに　雪はふりつつ

田子の浦に進みでてみると、霊峰《れいほう》富士山に雪がしきりにふっていることです。

男性は静岡県《しずおかけん》出身で、雄大《ゆうだい》な富士の情景《じょうけい》を詠《よ》んだこの歌を口ずさんで、故郷《ふるさと》をなつかしむという。うれしいときつらいとき、おりおりの心のささえだそうだ。

二番目の組、三番目と、進んでいく。歌にまつわる自分の思い出を語る人もいれば、歌人のことや歌の情景《じょうけい》や技巧《ぎこう》のうまさを話す人もいる。

館長は、その歌のかるたを、箱から出してみせ、順にまわした。参加の人も見学の人も、佐藤《さとう》さんのかるたを手もとでじっくり鑑賞《かんしょう》した。

為氏《ためうじ》はといえば、自分の知っている歌合《うたあわせ》とはちがっていたのだろう。はじめは慎《しん》重《ちょう》にようすを見るようだった。それから会が進むにつれ、だんだんと笑《え》みをうかべるようになり、いまではしあわせそうに会場を見わたしている。

読みあげられる歌はどれも、為氏にとっても思い入れの深い歌だ。つい最近まで、定家《ていか》さんとともに、何度もくりかえし声にして、文字にした。

定家さんが心をこめてえらんだ百の歌が、多くの人の心にのこり、時をこえてずっとだいじにされている。わたしがいっていたことがほんとうだって、感じてくれたのかも。

勝ち負けを決めたけれど、負けたほうにも拍手《はくしゅ》が起こり、会はなごやかに進んだ。

人がすくなくて心配したけど、みんな楽しんでいるようだ。

凪《なぎ》さんと為氏《ためうじ》の番になった。凪さんがえらんだのは、わたしたちだった。

こぬ人を　まつほの浦《うら》の　夕なぎに　やくやもしほ《(お)》の　身もこがれつつ

館長が読みあげ、この歌のかるたはないと、つけくわえる。わたしがもどったことは知らないから、さがしもしない。

「急にここにすわることになったので、とっさにそれしか思いだせませんでした。ずっと、その歌が気になっていたので。じつはやくやもしおのふだですが……」

凪さんはいいかけてやめ、「かわりにこれを」と、身代わりのかるたを回覧《かいらん》した。

「わたしを心配してくれたかたが、用意してくださいました。とてもよくできています。絵のようすは、百人一首ができた当時のものによく似《に》ています。定家《ていか》の生きていたころ、人物を写実的にえがく、似せ絵とよばれる絵がさかんになりました。歌と歌人の絵を対《つい》にして、絵巻物《えまきもの》もつくられました。小倉山荘《おぐらさんそう》にかざられた百人一首の色紙《しきし》に、絵があったかどうかはわかりません。いまのこっているのは文字の色紙だけなので、なかったかも知れませんが、もしもあったとしたら、このような絵だったのではないでしょうか」

それをきいて、参加の人たちは、まわってきた身代わりのかるたを熱心にながめた。

凪《なぎ》さんはつづける。

「この歌は、定家《ていか》が女性《じょせい》になりかわり、気持ちをうたったものといわれています。定家の歌は数多く、すぐれた歌はほかにあるのに、なぜこの歌をえらんだのか、たしかなところはわかりません。けれど、ただ一首だけをえらぶというときに、定家がみずからえらんだのは、この歌だったことはたしかです」

拍手《はくしゅ》がおさまると、為氏《ためうじ》が立ちあがった。

館長が「どの歌をえらばれますか？」とたずねたのを、目でおさえ、話しはじめる。

「おじいさまが――定家卿《きょう》が決めた色紙和歌《しきしわか》の順序《じゅんじょ》では『こぬ人を』にならび、組になるべきは、家隆《いえたか》卿の『風そよぐ』だ。本来ならその歌を合わせるべきだが、もしおどのからおもしろいことをきいたので、あえてこの歌を合わせようと思う」

為氏はしずかに呼吸《こきゅう》をととのえ、うたいあげた。

玉《たま》の緒《お》よ　絶《た》えなば絶えね　ながらへ《（え）》ば　忍《しの》ぶることの　よわりもぞする

よくひびく声だった。

いつもの為氏《ためうじ》とちがう。なんだかどきっとする。

会場にいる人はみんなききいり、おわるとあちこちからため息がもれた。

「式子内親王《しょくしないしんのう》の歌だわ」「定家《ていか》の歌に合わせるのなら、やはりこの歌」「ふたりの悲《ひ》恋《れん》ですね」などときこえてくる。

どうしてこの歌にしたんだろう。わたしが、ふたりは恋人《こいびと》どうしだよねといったとき、為氏はきっぱり、ちがうといっていたのに。

「忍ぶることの」の文字のふだと、式子内親王の絵のふだがまわされる。式子内親王の美しいうしろすがたが、几帳《きちょう》からすこしだけのぞいている、という絵だ。

「この歌により、定家卿《きょう》と式子内親王が、思いをかわしたあいだがらであると、いわれているという。しかし、どちらの歌も題にそって百首の歌をうたったもののうちの一首。時も場所もちがい、いわれているようなことはありえない。けれども――」

為氏はゆっくりと話した。

「定家卿《ていかきょう》の日記には、はじめて内親王《ないしんのう》にお会いしたときのことが書かれている。父、俊成《しゅんぜい》卿につれられ、お屋敷《やしき》に参上したのは、治承《じしょう》五年正月三日のこと。定家卿二十歳《さい》、内親王は三十三歳のとき――」

またひと呼吸《こきゅう》おく。

会場の人たちも、わたしたちかるたも、為氏《ためうじ》に注目する。

　ついで、三条《さんじょう》の前斎院《さきのさいいん》にまいる。今日初参《しょさん》、仰《おお》せによるなり。
　薫物《くんぶつ》の馨香《けいこう》、芬馥《ふんぷく》たり。

父につれられ、前斎院とよばれていた式子内親王《しょくしないしんのう》のもとに、はじめてあいさつにまいった。そこには、薫物《たきもの》（お香《こう》）のよいにおいが、ゆたかに香っていた。

「おじいさまが思う式子内親王とは、そういったかたなのです」

十四

月かげの扇《おうぎ》

会議室がかたづけられ、かるたは箱にもどされた。みんな、ほっとしていた。参加の人たちは、だれもが満足したようすだった。それぞれに、いまの歌合《うたあわせ》のことを話しながら、帰っていった。

「まずは、成功であろう」

後鳥羽院《ごとばいん》の取りふだが、さっきとはうってかわってうれしそうにいう。

式子《しょくし》内親王《ないしんのう》のふだたちは、ほこらしそうにしている。

「はらはらしたけれど、みなさま楽しそうでしたね」

紫式部《むらさきしきぶ》や天智天皇《てんじてんのう》のふだもうなずいた。

「ええ。二回目を計画すると、凪《なぎ》さんはいっていましたね。今度はもっと本格的《ほんかくてき》にと」

「これで、展覧会《てんらんかい》の観覧もふえるといいが」

わたしは、どきどきしながらたずねた。

「これで、凪さんはやめなくてすむかな。こぬ人をはいないけど」

すると、みんなはおだやかに笑う。

家隆《いえたか》さんの「みそぎぞ夏の」が、申しわけなさそうにいった。

「すまぬな、やくやもしおの。凪さんはやめぬから、安心しなさい」

わたしがぽかんとしていると、式子内親王《しょくしないしんのう》の「忍《しの》ぶることの」が、そっと教えてくれた。

「もともと、ふだがなくなったからといって、凪さんがやめることはなかったの」

「ええっ？」

「みんなの、早とちりだったのね。それでも凪さんは、責任《せきにん》を感じて、展覧会を成功させようと必死だった。やくやもしおのが、行ってくれたのはむだではない。歌合《うたあわせ》の成功は、あなたのおかげ。あたらしいかるたも好評《こうひょう》だったでしょう？」

絵ふだの「玉《たま》の緒《お》よ」も、やさしくいう。

「式子内親王《しょくしないしんのう》のおもかげに、ふれることができて、とてもうれしかった。あのかたを、つれてきてくれて、ありがとう、やくやもしおの」

会議室には、凪《なぎ》さんと為氏《ためうじ》だけがのこっていた。ふたりはなぜか、おだやかに話をしている。

凪さんがやめる心配はなかったときいて、それじゃ、わたしはなんのために、こぬ人をさがしに行ったの？　と、いっしゅん思ったけど、行くんじゃなかったとは思わない。

行ってよかった。おかげで為氏に会えた。

人のすがたでないのが、もどかしい。

為氏にかけよって、とってもよかったよっていいたい。

やっぱりもどりたい。むこうに。後悔《こうかい》がおしよせる。とびらがしまるまえに、なにもかもすてて、飛びこめばよかった。

「帰りたいよ」

涙《なみだ》をこらえていうと、みんなのあたたかなざわめきが、わたしを包んだ。

「もどりなさい、やくやもしおの」と、「忍《しの》ぶることの」がいう。

「こちらのことは、心配いらない」「みそぎぞ夏の」もいう。

「こぬ人をに、よろしく伝えよ」と、後鳥羽院《ごとばいん》の「世を思うゆえに」。

凪《なぎ》さんが近づいてくる。みんなはしんとしずかになった。

為氏《ためうじ》もやってきて、おもしろそうにかるたの箱をのぞいた。

「これが、もしおどのがいっていた、百人一首かるた……」

凪さんが、わたしをとりあげた。

「やくやもしおの身もこがれつつ」

読みあげて、にっこりする。

「わたしを心配してくれてありがとう。日吉神社《ひよしじんじゃ》で見たことは、まだ半信半疑《はんしんはんぎ》なんだけど。でも、夢《ゆめ》ではないみたい。――きょうのことは、たしかにあったこと」

凪さんはそういって、わたしを為氏にさしだした。

「この子をつれて帰ってください」

為氏は笑顔《えがお》でうけとり、たずねた。

「あなたが、こまることにならなければよいのだが。もしおどのは、ずっとそれを気にかけていた」

「それはだいじょうぶです。あの女の子を、せまい箱にとじこめるなんて、できません」

凪《なぎ》さんがほほえむ。

（ありがとう、凪さん）

思いっきりいってもとどかない。それでもせいいっぱいの声でいう。

（ありがとう、為氏《ためうじ》）

為氏にはきこえている。かるくうなずき、そでのなかから紙をとりだした。

「それではかわりに、これをさしあげよう。ここでは、とてもてはやされているときいた」

ひろげたのは、蓮生《れんしょう》さんのところにとどけようとしていた色紙《しきし》だ。それも「こぬ人をまつほの浦《うら》の夕なぎに」の。

（それ、蓮生さんの色紙でしょ？　そんなたいせつなものを）

あわてるわたしに、為氏はいった。

「さわがなくていい。おじいさまは気に入らず書きなおしたので、ゆずっていただいたものだ」

凪《なぎ》さんは、すいよせられるように、色紙《しきし》に見入っていた。

「まさか……小倉《おぐら》色紙？　それも定家《ていか》の歌？」

「さきの権中納言《ごんちゅうなごん》、藤原定家卿《ふじわらのていかきょう》の直筆《じきひつ》に、まちがいない」

為氏《ためうじ》はほこらしげだ。

「え、まって。ほんものなら、まちがいなく国宝《こくほう》。でも、小倉色紙の真偽《しんぎ》ははっきりしてなくて、わたしにはわからないけど。でも、この紙の手ざわりとか、たしかに古い時代の……。これ、いったいどこで」

凪さんが顔をあげたとき、わたしたちはもう、そこにいなかった。


わたしと為氏は、日吉神社《ひよしじんじゃ》にもどっていた。

日が暮《く》れて、空は紺色《こんいろ》にかわっている。西の空に赤みがすこしのこり、参道《さんどう》には小さな街灯が、ひとつだけついていた。

為氏は、社《やしろ》の前で足をとめた。

「社にもどってきたが……」

つぶやいたまま、たたずんでいる。

やっぱり、あとさき考えずに、わたしを追いかけてきたみたいだ。日吉社《ひえしゃ》のひらいたままのとびらに気づいて、飛びこんでくれたんだろう。

わたしは為氏《ためうじ》に声をかけた。

（ちょっと、わたしにも、社《やしろ》が見えるようにしてくれる？）

「ああ……。これでどうだ」

為氏は手をひらいて、わたしを神社の建物にむけてくれた。拝殿《はいでん》のとびらはぴったりしまっている。

（やっぱりしまってる。ここはもう、通れないんだ）

「人の手でひらいても、つながらぬのだろうな」

為氏がこたえる。

（きこえてるんだね……）

「きこえている、ずっと」

その言葉に、胸《むね》がつまった。言葉が伝わるのがうれしい。どきどきして、せつない。

——もどりたい。

さっきよりずっと切実に、心の底から思った。

「さて、どうしたものか」

為氏《ためうじ》がのんびりいうので、つい、ため息が出る。

（帰り道も考えずに、追いかけてきたんだね）

「あのようなわかれかたをしては、追いかけずにいられない」

ためらいなくいわれ、どきりとする。

わたしが返事につまると、為氏は顔をほころばせた。

「もしおどのには率直《そっちょく》にいうのがいちばんと、薫《かおる》どのから教わった」

笑っていって、おだやかにつづける。

「もどってくるつもりだときいた。それでも、ただまっていることはできなかった。ともに帰ろう。そしてもう一度、これをうけとってほしい」

為氏はふところから、絵巻《えまき》とともにわたしがおとした扇《おうぎ》をとりだした。わたしはどぎまぎしながら、言葉をさがした。

（えっと……。その扇、ここで見てもいい？）

ひろげてもらった扇は、ほそい板を糸でつないだ檜扇《ひおうぎ》だった。

なだらかな山がえがかれている。山の上の空は、濃《こ》い青色、そこに白い光がさしている。山から月がのぼってくるところみたい。手前には川が流れ、そのほとりに家がある。

川岸にある草のほそい線や、空にぼんやりとかかるうすい雲のようす、こまかいところを生き生きとかいてあるのが、薫《かおる》らしい。

絵の横に、字がある。為氏《ためうじ》の字だ。

（春の夜の、霞《かすみ》の間《ま》より――。これは歌？）

「そうだ」

（へえ、為氏の歌？　教えてくれるのはじめてだね）

定家《ていか》さんには見せていたようだけど、わたしには、修業中《しゅぎょうちゅう》で人に見せるものではないといって、ぜったいに教えてくれなかった。

為氏は空を見上げた。

「月がのぼるようだ」

紺色《こんいろ》の空と山とのさかい目が、ぼんやりとあかるくなっている。扇《おうぎ》の絵とおなじだ。為氏はうたった。

春の夜の　霞《かすみ》の間《ま》より　山の端《は》を　ほのかに見せて　出づ《（ず）》る月影《つきかげ》

春の夜の霞がたちこめる、そのあいだから山の稜線《りょうせん》をほのかにかがやき見せながら、出てくる月の光よ。

（この空に、ぴったりな歌だね。いまは春じゃないけど）

わたしがいうと、為氏《ためうじ》がなにかこたえた。

そのとき、ふんわりとあたたかい風がふいた。

かたかたと音を立て、神社のとびらがひらく。風はそこからふきだしている。そんなに強い風じゃなかった。それなのに為氏は扇《おうぎ》をとりおとした。

風にさらわれて、扇がふわりと舞《ま》いあがる。

（あっ）

わたしは手をのばした。中指の、もうすこしさき、もうちょっとでとどく。

そう思ったら、からだがういた。扇をつかむ。

「ああ、よかった。飛ばされなかったよ」

そういってふりかえると、為氏《ためうじ》が目をみはっていた。みるみるうちに、ほっとした顔になる。

「そうだな。よかった」

気持ちのこもった声に、わたしはやっと気がついた。扇《おうぎ》をもっている指、梅の花の色のすその長い衣《ころも》、肩に広がる黒髪《くろかみ》――。

もどっている。はじめて為氏と会ったときの、人のすがたに。

為氏がわたしを見上げている。わたしは宙《ちゅう》にういていた。風がもうひとふきしたら、きっと高く舞《ま》いあがっていく。

わたしはいそいで、為氏の手をつかんだ。

とたんに、神社のひらいたとびらから、はやい風がふきつけた。まるで紙でできたかるたみたいに、ふわりとからだをもちあげられ、あっというまに、高い空に舞いあがる。

風が顔のまわりを通りすぎ、髪をまきあげる。ふっと風がなぐと、わたしは為氏とふたり、ならんで空にいた。

村の日吉神社《ひよしじんじゃ》の建物が、足の下に小さくなる。

まわりで、星がまたたく。それもすぐに見えなくなる。白い雲がふたりをとりまいた。

足もとがふわふわする。ゆっくりだけど、まだ飛んでいる。雲ごと移動《いどう》しているみたい。

為氏《ためうじ》が落ちつかないようすで、まわりを見た。まっ白で、おたがいのすがたしか見えない。まだ、ふたりで手をつないでいる。

どきっとして、思わず手をはなしかけた。すると逆《ぎゃく》に、為氏がしっかりにぎった。

そうだ、はなしちゃだめだ。わたしとはなれたら、為氏は落っこちるかもしれない。

「ええと、あの。それで、さっき、なにをいおうとしたの？」

だまっているのも気づまりでたずねると、為氏はしずかにこたえた。

「扇《おうぎ》の歌は春につくったといったのだ。もしおどのが天から落ちてきた日に、目にした景色だ」

夜の霞《かすみ》が立ちこめるなか、山《やま》の端《は》にさしてくる、月の光——。

そんなふうに、わたしは天からやってきた。

あらためて扇を見ていると、為氏が足もとを指さした。

「地面だ。おりよう」

急に、からだの重みを感じる。まごついて、バランスをくずす。為氏《ためうじ》がささえてくれた。ふたりで地面におりたつ。しっかりとふみしめる。

高い木立《こだち》がかこんでいる。定家《ていか》さんの時代の、日吉社《ひえしゃ》だ。

夜になって、かがり火がたかれていた。建物のなかに、まだ大勢《おおぜい》の人がいる。夜通しこもって祈《いの》るのだ。

近くで手を合わせていた薫《かおる》が、気づいて声をあげた。こぬ人ををひっぱって、かけよってくる。

社《やしろ》と木立をおおう紺色《こんいろ》の空に、大きな月がのぼっていた。

解《かい》説《せつ》

『百人一首』は現在《げんざい》、小学校国語のどの教科書にも採用《さいよう》されて、小学生のみなさんにもっとも親しまれている古典文学でしょう。かるたや競技《きょうぎ》も広く行われ、老若男女《ろうにゃくなんにょ》を問わずなじみ深い作品ですが、実は『百人一首』の成立や性格《せいかく》はとらえにくく、だれが作ったものなのかすら確《かく》たる証拠《しょうこ》がない、謎《なぞ》の歌集として知られてきました。

研究が進んだ現在では、物語に書かれるとおり、藤原定家《ふじわらのていか》が一二三五年に蓮生《れんしょう》（宇都宮頼綱《うつのみやよりつな》）の山荘《さんそう》をかざるためにえらんだものであることは、まちがいないと考えられています。その見方を大きくあとおししたのは、一九五一年に、定家によるとされる『百人秀歌《ひゃくにんしゅうか》』という歌集が見つかり、『百人一首』と九十七首が一致《いっち》していることがわかったことでした。ただし『百人秀歌』には、『百人一首』の最後におかれた二首、「人もをし〜」の後鳥羽院《ごとばいん》の歌と「ももしきや〜」の順徳院《じゅんとくいん》の歌がありません。歌のならび方なども『百人一首』とはちがっていて、よく似《に》て異《こと》なる別バージョンなのです。『百人秀歌《ひゃくにんしゅうか》』が、定家《ていか》自身によって編《あ》まれたことは確実《かくじつ》ですが、『百人一首』は、自作と他作の両説があり、最近は後人が手を加えたと考える説が有力で、いまだに答えは出ていません。

　そもそも、ひとり一首の歌をえらび、時代順にならべるという趣向《しゅこう》も、当時としてはめずらしいものでした。各歌人の一番すぐれた歌を集めたかというとそうでもなく、定家が秀歌と認《みと》めていなかったらしい歌も入ることから、制作《せいさく》のねらいもいろいろな見方が出されています。さらには山荘《さんそう》をかざる色紙《しきし》が、絵をともなっていたかどうかということも、説が分かれてきました。

『やくやもしおの百人一首』は、こうした謎《なぞ》の多い歌集を素材《そざい》として書かれています。かるたが人に変身して時空間を超《こ》えた世界にワープし、そこの人たちとさまざまな交流を果たすという、文字通り超現実《ちょうげんじつ》のストーリーを楽しめるファンタジーです。予想外の展開《てんかい》が読者をひきつけるこの虚構《きょこう》の物語は、しかし、さかのぼった過去《かこ》における登場人物たちも、またその時代背景《はいけい》も、わかっている事実にもとづいています。たとえば、定家は歌人であり、物語作者であり、『源氏物語《げんじものがたり》』以下多くの古典を後代にのこしてくれた学者であり、引用された『明月記《めいげつき》』の記事にあるとおり、変わりゆく世を憂《うれ》える宮廷貴族《きゅうていきぞく》でした。そして時代は、六波羅探題《ろくはらたんだい》の武士《ぶし》の登場で明らかなように、平安《へいあん》の貴族の世から、承久《じょうきゅう》の乱《らん》（一二二一年）をへて着実に鎌倉《かまくら》の武士の世へとうつりゆく、歴史《れきし》の大きな転換期《てんかんき》でした。

人物たちの関わりあいや彼《かれ》らの性格《せいかく》は、もちろん著者《ちょしゃ》ならではの独創《どくそう》によるものですが、実際《じっさい》の人物やエピソードが巧《たく》みに組み合わされてえがかれているため、奇想天外《きそうてんがい》な物語が、不思議なリアリティーを獲得《かくとく》しています。事実をふまえた虚構《きょこう》の自在《じざい》な軽やかさが、この物語の大きな魅力《みりょく》でしょう。

『百人一首』の謎《なぞ》の議論《ぎろん》についてもよく調べられ、制作《せいさく》のねらいも絵の問題も、著者なりの理解《りかい》が示《しめ》された上で話が進められています。さまざまな説がならび立つのは、制作者の思いを知る手立てが乏《とぼ》しく、わずかな手がかりで推測《すいそく》するしかないからなのです。

多くの謎の鍵《かぎ》をにぎるのは、定家《ていか》と後鳥羽院《ごとばいん》の関係でしょう。ふたりは、和歌の天才と和歌好きの帝王《ていおう》の関係で、芸術家《げいじゅつか》と支援者《しえんしゃ》、さらには歌人として認《みと》めあうライバル同士《どうし》でもありました。ふたりがいたからこそ『新古今和歌集《しんこきんわかしゅう》』が編《あ》まれ、和歌隆盛《りゅうせい》の時代がやってきます。しかし親しい関係はしだいにくずれ、定家は後鳥羽院から謹慎処分《きんしんしょぶん》を受けてしまい、そのまま承久《じょうきゅう》の乱《らん》が起きて、交流はとだえます。結局、朝廷方《ちょうていがた》が鎌倉方《かまくらがた》に敗れ、後鳥羽《ごとば》・順徳《じゅんとく》両院は罪人《つみびと》として島流しにされてしまいました。鎌倉方に親しかった定家《ていか》がふたりの院を公式に評価《ひょうか》することは困難《こんなん》と考えられるため、『百人秀歌《ひゃくにんしゅうか》』でえらばれていない両者を『百人一首』で加えたのは息子の為家《ためいえ》やさらに後の人とする説があります。一方で、定家は歌人としての後鳥羽院を高く評価していたため、えらんだのは定家しかいないと見る説も支持《しじ》を集めてきました。物語でも、両院をめぐる定家の葛藤《かっとう》がえがかれています。

絵の問題には、隠岐《おき》に流された後鳥羽院が、歌人百人の秀歌を三首ずつ集め、歌《うた》合《あわせ》の形にした『時代不同歌合《じだいふどううたあわせ》』という作品が関わってきます。百人の秀歌を集める歌集は前例のないものだったので、これを定家が意識《いしき》（ライバル視《し》）して『百人一首』を作った可能性《かのうせい》があります。絵があったとする立場は、『時代不同歌合』が藤原《ふじわらの》信実《のぶざね》のえがく歌仙絵《かせんえ》をともなっていたため、『百人一首』にも歌仙絵があったと考えるものです。

絵はあったものの、歌仙絵ではなく、風景をえがく大和絵《やまとえ》であったと見る説もあります。定家の色紙《しきし》は（真贋《しんがん》には議論《ぎろん》がありますが）のこされている一方で、絵はまったくのこっていないため、なかったと見る説が強く、実態《じったい》はわかりません。物語では、凪《なぎ》さんの言葉で「絵はあったかどうかわかりません」と、研究の状況《じょうきょう》がふまえられつつも、絵があった設定《せってい》で興味《きょうみ》深く話が展開《てんかい》しています。

　歌集としての解釈《かいしゃく》がゆれる『百人一首』ですが、収《おさ》められた歌の解釈も常《つね》に等しいわけではありません。たとえば、在原業平《ありわらのなりひら》の「ちはやぶる」の歌は、結句《けっく》がふつう「水くくるとは」と読まれるのに、定家《ていか》は「水くぐるとは」と読んでいました。そこで作中の解釈でも、「くくる」を「括《くく》る（括《くく》り染《ぞ》めにする）」ではなく「潜《くぐ》る（流れを潜る）」と解する説がとられています。また、式子内親王《しょくしないしんのう》の「玉《たま》の緒《お》よ」の歌も、詠《よ》み手《て》の体験によるのではなく、男の立場で詠まれた設定の歌と説明されています。現代《げんだい》の新たな説で、これも研究の現状《げんじょう》がふまえられています。

　『百人一首』の多くの謎《なぞ》についてのべてきましたが、謎が多いからこそ、あれこれと想像《そうぞう》し、自分なりの解釈を試みる余地《よち》が、私《わたし》たちにのこされているということでもあるのです。すべては、定家の思いをどのようにとらえるかに関わっています。みなさんはどう考えるでしょうか。物語を楽しく読みながら、作中のあちこちにあらためて手がかりをさがしてみてください。

『道勝法親王《どうしょうほっしんのう》筆百人一首歌かるた』（滴翠美術館所蔵）

「こぬ人は」と「やくやもしおの」の札
現存《げんぞん》する最古のかるたといわれる

伝藤原信実《ふじわらののぶざね》筆『後鳥羽天皇像《ごとばてんのうぞう》』
（水無瀬神宮所蔵）

隠岐《おき》に流される前に
かかせたものといわれる

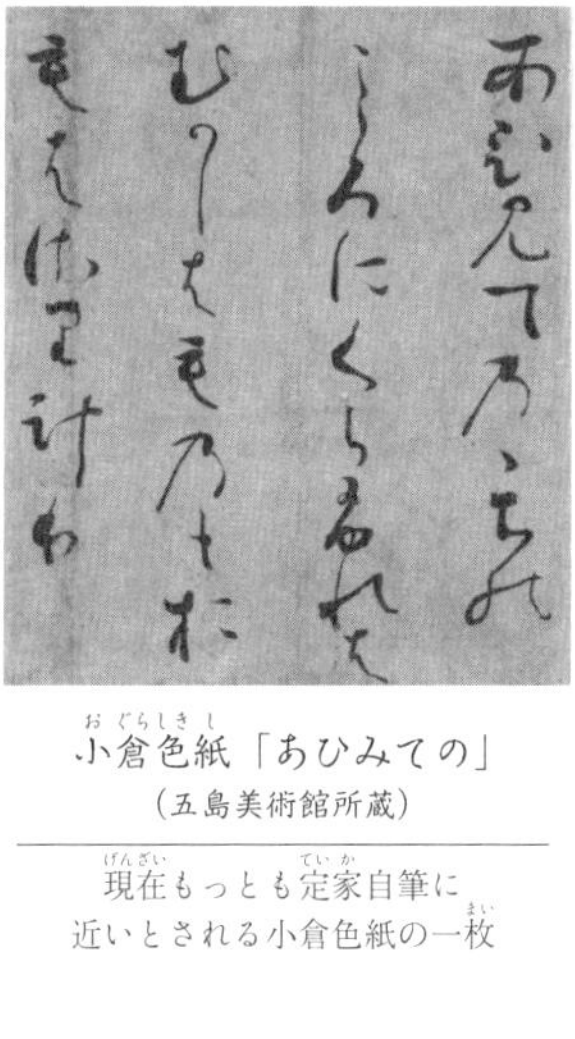

小倉色紙《おぐらしきし》「あひみての」
（五島美術館所蔵）

現在《げんざい》もっとも定家《ていか》自筆に
近いとされる小倉色紙の一枚《まい》

物語では『百人一首』の制作《せいさく》のねらいが「京の時をたどってみようと思いましてな」という言葉で示《しめ》されています。この見方は、諸説《しょせつ》のどの立場に立つとしてもおおむね理にかなっています。『百人一首』が天智天皇《てんじてんのう》ではじまり、順徳院《じゅんとくいん》でおわるのも、はじめに平安《へいあん》時代の皇統《こうとう》の祖《そ》をすえ、おわりに貴族《きぞく》の世のおわりを象徴《しょうちょう》する両院をおくことで、王朝文化のまとまりを示そうとしたためと見られています。

嵯峨中院《さがちゅういん》の障子《しょうじ》にずらりと百首がかざられ、定家《ていか》が歌でたどろうとした平安史《へいあんし》がついに完成したとき、その光景とは一体どのようなものだったのでしょうか。王朝文化をなつかしみながらも鎌倉《かまくら》との関わりの中に生きざるをえなかった転換期《てんかんき》の都人《みやこびと》たちは、日々どのような思いをかかえていたのでしょう。そしてもしおと為氏《ためうじ》は、これからどう生きていくのでしょう。想像をめぐらせながら、もし興味《きょうみ》をもったら、作中で紹介《しょうかい》されている文学や絵画についても実際《じっさい》にふれ、転換期の歴史《れきし》についてもさらに学んで、その奥深《おくぶか》さ、おもしろさを味わってみてほしいと思います。

寺島恒世（和歌文学・中世文学研究者）

おもな参考文献

『新古今集　後鳥羽院と定家の時代』　田渕句美子　（KADOKAWA、角川選書）

『定家「明月記」の物語』　稲村榮一　（ミネルヴァ書房）

『定家明月記私抄』　堀田善衛　（新潮社）

『二条為氏と為世　コレクション日本歌人選』　日比野浩信　（笠間書院）

『百人一首に絵はあったか―定家が目指した秀歌撰』　寺島恒世　（平凡社）

『百人一首の正体』　吉海直人　（KADOKAWA、角川ソフィア文庫）

『百人一首の謎を解く』　草野隆　（新潮社、新潮新書）

『百人一首への招待』　吉海直人／監修　（平凡社、別冊太陽）

『藤原定家』　村山修一　（吉川弘文館、人物叢書）

『藤原定家　コレクション日本歌人選』　村尾誠一　（笠間書院）

『藤原定家の時代　中世文化の空間』　五味文彦　（岩波書店、岩波新書）

『本を千年つたえる　冷泉家蔵書の文化史』　藤本孝一　（朝日新聞出版）

『松浦宮物語　無名草子』　（小学館、日本古典文学全集）

『やまと絵　日本絵画の原点』　村重寧／監修　（平凡社）

作

久保田《くぼた》香里《かおり》

岐阜県生まれ。2004年、『青き竜の伝説』（岩崎書店）で第3回ジュニア冒険小説大賞を受賞しデビュー。『氷石』（くもん出版）で第38回児童文芸新人賞、『きつねの橋』（偕成社）で第67回産経児童出版文化賞・JR賞を受賞。他の作品に『きつねの橋　巻の二　うたう鬼』（偕成社）、『緑瑠璃の鞠』（岩崎書店）、『千に染める古の色』（アリス館）、『駅鈴』『もえぎ草子』（くもん出版）など。

画

坂口《さかぐち》友《ゆ》佳《か》子《こ》

1989年大阪府生まれ。東京在住。京都造形芸術大学キャラクターデザイン学科卒業。書籍、雑誌、広告などでイラストレーターとして活躍。絵本に『どこどこけだまちゃん』（ニコモ）、児童書の挿画に『トラからぬすんだ物語』（評論社）、『ガラスの犬　ボーム童話集』（岩波書店）、「ひみつの地下図書館」シリーズ（ほるぷ出版）など。

解説

寺島《てらしま》恒世《つねよ》

1952年長野県生まれ。筑波大学大学院博士課程文芸・言語研究科単位取得退学。博士（文学）。現在、国文学研究資料館名誉教授および、武蔵野大学日本文学研究所客員研究員。専攻は中世文学と和歌文学。著書に、『後鳥羽院御集』（明治書院）、『後鳥羽院和歌論』（笠間書院）、『百人一首に絵はあったか―定家が目指した秀歌撰』（平凡社）など。

やくやもしおの百人一首

2022年11月13日　初版第1刷発行
2023年 4 月18日　初版第2刷発行

作　久保田香里

画　坂口友佳子

デザイン　長﨑 綾（next door design）

発行人　志村直人

発行所　株式会社くもん出版

〒141-8488　東京都品川区東五反田2-10-2
東五反田スクエア11F
電話　03-6836-0301（代表）
　　　03-6836-0317（編集）
　　　03-6836-0305（営業）
https://www.kumonshuppan.com/

印刷所　株式会社精興社

NDC913・くもん出版・272p・20cm・2022年

ISBN978-4-7743-3303-8

CD 34632

創作児童文学

はなの街オペラ

森川成美　画・坂本ヒメミ

時は、大正時代。十四歳のはなは、東京の井野家に奉公に出る。井野家の主人、一郎の仕事は、浅草でオペラを上演する歌劇団。ひょんなことから、歌のレッスンをうけることになったはなは……。

六四五年への過去わたり

平城の氷と飛鳥の炎

牧野礼　絵・七原しえ

星図をかくことが務めの星読みの青年が史書編纂に関わった訳は？『日本書紀』のラストピースを求め、平城京から大化改新がはじまる飛鳥へタイムスリップする、歴史ファンタジー。